WJS CORSO

WJS

Richard von Weizsäcker
Von Deutschland aus

CORSO bei Siedler

Zum Geleit

DIE BEITRÄGE DIESES BANDES SIND ALS REDEN ENT-
standen, nicht als Aufsätze. Jede wurde zu einem
bestimmten Anlaß und Datum öffentlich gehalten
und richtete sich an einen bestimmten Zuhörerkreis.
Sie sind aber alle miteinander verbunden durch das
Ziel, einen Beitrag zum politischen Selbstverständnis der Deutschen im ausgehenden 20. Jahrhundert
zu leisten.

Wir Deutsche gehören zu den entwickelten Indu-
strienationen einer von Wissenschaft und Technik
geprägten, im Bewußtsein der Menschen zusammen-
wachsenden Welt. Die Herausforderungen, die damit
verbunden sind, betreffen uns gemeinsam mit vielen
anderen. Wir haben Anteil an der großen Verantwortung für Freiheit und Frieden, für die weltweite soziale Frage und für die menschliche Anwendung von
Forschungsergebnissen.

Zugleich haben wir eine ganz eigene Geschichte
und geopolitische Lage. Unser Land liegt in der Mitte
Europas, von vielen Nachbarn umgeben. Unsere Geschichte mit ihnen hat die Völker wechselseitig bedroht und befruchtet. Neben Unrecht und Leid stehen
Bereicherung und Freundschaft.

Ein wahrhaftiges Verhältnis zur Vergangenheit, ein Gefühl der Verantwortung für die Gefahren und Chancen unserer Zeit und eine ständige geistige Anstrengung im Umgang mit den Gaben unserer Kultur – in diesem Umfeld liegen Standort und Aufgaben der Deutschen, mit denen sich die Beiträge in diesem Band auseinandersetzen.

Der 8. Mai 1945 — 40 Jahre danach

I

VIELE VÖLKER GEDENKEN HEUTE DES TAGES, AN DEM der Zweite Weltkrieg in Europa zu Ende ging. Seinem Schicksal gemäß hat jedes Volk dabei seine eigenen Gefühle. Sieg oder Niederlage, Befreiung von Unrecht und Fremdherrschaft oder Übergang zu neuer Abhängigkeit, Teilung, neue Bündnisse, gewaltige Machtverschiebungen – der 8. Mai 1945 ist ein Datum von entscheidender historischer Bedeutung in Europa.

Wir Deutsche begehen den Tag unter uns, und das ist notwendig. Wir müssen die Maßstäbe allein finden. Schonung unserer Gefühle durch uns selbst oder durch andere hilft nicht weiter. Wir brauchen und wir haben die Kraft, der Wahrheit so gut wir es können ins Auge zu sehen, ohne Beschönigung und ohne Einseitigkeit.

Der 8. Mai ist für uns vor allem ein Tag der Erinnerung an das, was Menschen erleiden mußten. Er ist zugleich ein Tag des Nachdenkens über den Gang unserer Geschichte. Je ehrlicher wir ihn begehen, desto freier sind wir, uns seinen Folgen verantwortlich zu stellen.

Der 8. Mai ist für uns Deutsche kein Tag zum Feiern. Die Menschen, die ihn bewußt erlebt haben, denken an ganz persönliche und damit ganz unterschiedliche Erfahrungen zurück. Der eine kehrte heim, der andere wurde heimatlos. Dieser wurde befreit, für jenen begann die Gefangenschaft. Viele waren einfach nur dafür dankbar, daß Bombennächte und Angst vorüber und sie mit dem Leben davongekommen waren. Andere empfanden Schmerz über die vollständige Niederlage des eigenen Vaterlandes. Verbittert standen Deutsche vor zerrissenen Illusionen, dankbar andere Deutsche für den geschenkten neuen Anfang.

Es war schwer, sich alsbald klar zu orientieren. Ungewißheit erfüllte das Land. Die militärische Kapitulation war bedingungslos. Unser Schicksal lag in der Hand der Feinde. Die Vergangenheit war furchtbar gewesen, zumal auch für viele dieser Feinde. Würden sie uns nun nicht vielfach entgelten lassen, was wir ihnen angetan hatten?

Die meisten Deutschen hatten geglaubt, für die gute Sache des eigenen Landes zu kämpfen und zu leiden. Und nun sollte sich herausstellen: Das alles war nicht nur vergeblich und sinnlos, sondern es hatte den unmenschlichen Zielen einer verbrecherischen Führung gedient. Erschöpfung, Ratlosigkeit und neue Sorgen kennzeichneten die Gefühle der meisten. Würde man noch eigene Angehörige finden? Hatte ein Neuaufbau in diesen Ruinen überhaupt Sinn?

Der Blick ging zurück in einen dunklen Abgrund der Vergangenheit und nach vorn in eine ungewisse dunkle Zukunft. Und dennoch wurde von Tag zu Tag klarer, was es heute für uns alle gemeinsam zu sagen gilt: Der 8. Mai war ein Tag der Befreiung. Er hat uns alle befreit von dem menschenverachtenden System der nationalsozialistischen Gewaltherrschaft.

Niemand wird um dieser Befreiung willen vergessen, welche schweren Leiden für viele Menschen mit dem 8. Mai erst begannen und danach folgten. Aber wir dürfen nicht im Ende des Krieges die Ursache für Flucht, Vertreibung und Unfreiheit sehen. Sie liegt vielmehr in seinem Anfang und im Beginn jener Gewaltherrschaft, die zum Krieg führte. Wir dürfen den 8. Mai 1945 nicht vom 30. Januar 1933 trennen.

Wir haben wahrlich keinen Grund, uns am heutigen Tag an Siegesfesten zu beteiligen. Aber wir haben allen Grund, den 8. Mai 1945 als das Ende eines Irrweges deutscher Geschichte zu erkennen, das den Keim der Hoffnung auf eine bessere Zukunft barg.

II

DER 8. MAI IST EIN TAG DER ERINNERUNG. ERINNERN heißt, eines Geschehens so ehrlich und rein zu gedenken, daß es zu einem Teil des eigenen Innern wird. Das stellt große Anforderungen an unsere Wahrhaftigkeit.

Wir gedenken heute in Trauer aller Toten des Krieges und der Gewaltherrschaft.

Wir gedenken insbesondere der sechs Millionen Juden, die in deutschen Konzentrationslagern ermordet wurden.

Wir gedenken aller Völker, die im Krieg gelitten haben, vor allem der unsäglich vielen Bürger der Sowjetunion und der Polen, die ihr Leben verloren haben.

Als Deutsche gedenken wir in Trauer der eigenen Landsleute, die als Soldaten, bei den Fliegerangriffen in der Heimat, in Gefangenschaft und bei der Vertreibung ums Leben gekommen sind.

Wir gedenken der ermordeten Sinti und Roma, der getöteten Homosexuellen, der umgebrachten Geisteskranken, der Menschen, die um ihrer religiösen oder politischen Überzeugung willen sterben mußten.

Wir gedenken der erschossenen Geiseln.

Wir denken an die Opfer des Widerstandes in allen von uns besetzten Staaten.

Als Deutsche ehren wir das Andenken der Opfer des deutschen Widerstandes, des bürgerlichen, des militärischen und glaubensbegründeten, des Widerstandes in der Arbeiterschaft und bei Gewerkschaften, des Widerstandes der Kommunisten.

Wir gedenken derer, die nicht aktiv Widerstand leisteten, aber eher den Tod hinnahmen, als ihr Gewissen zu beugen.

Neben dem unübersehbaren großen Heer der Toten erhebt sich ein Gebirge menschlichen Leids,

Leid um die Toten,

Leid durch Verwundung und Verkrüppelung,

Leid durch unmenschliche Zwangssterilisierung,

Leid in Bombennächten,

Leid durch Flucht und Vertreibung, durch Vergewaltigung und Plünderung, durch Zwangsarbeit, durch Unrecht und Folter, durch Hunger und Not, Leid durch Angst vor Verhaftung und Tod, Leid durch Verlust all dessen, woran man irrend geglaubt und wofür man gearbeitet hatte.

Heute erinnern wir uns dieses menschlichen Leids und gedenken seiner in Trauer.

Den vielleicht größten Teil dessen, was den Menschen aufgeladen war, haben die Frauen der Völker getragen. Ihr Leiden, ihre Entsagung und ihre stille Kraft vergißt die Weltgeschichte nur allzu leicht. Sie haben gebangt und gearbeitet, menschliches Leben getragen und beschützt. Sie haben getrauert um gefallene Väter und Söhne, Männer, Brüder und Freunde. Sie haben in den dunkelsten Jahren das Licht der Humanität vor dem Erlöschen bewahrt.

Am Ende des Krieges haben sie als erste und ohne Aussicht auf eine gesicherte Zukunft Hand angelegt, um wieder einen Stein auf den anderen zu setzen, die Trümmerfrauen in Berlin und überall. Als die überlebenden Männer heimkehrten, mußten Frauen oft wieder zurückstehen. Viele Frauen blieben auf Grund des Krieges allein und verbrachten ihr Leben in Einsamkeit.

Wenn aber die Völker an den Zerstörungen, den Verwüstungen, den Grausamkeiten und Unmenschlichkeiten innerlich nicht zerbrachen, wenn sie nach dem Krieg langsam wieder zu sich selbst kamen, dann verdanken wir es zuerst unseren Frauen.

III

AM ANFANG DER GEWALTHERRSCHAFT HATTE DER abgrundtiefe Haß Hitlers gegen unsere jüdischen Mitmenschen gestanden. Hitler hatte ihn nie vor der Öffentlichkeit verschwiegen, sondern das ganze Volk zum Werkzeug dieses Hasses gemacht. Noch am Tag vor seinem Ende am 30. April 1945 hatte er sein sogenanntes Testament mit den Worten abgeschlossen: »Vor allem verpflichte ich die Führung der Nation und die Gefolgschaft zur peinlichen Einhaltung der Rassengesetze und zum unbarmherzigen Widerstand gegen den Weltvergifter aller Völker, dem internationalen Judentum.«

Gewiß, es gibt kaum einen Staat, der in seiner Geschichte immer frei blieb von schuldhafter Verstrickung in Krieg und Gewalt. Der Völkermord an den Juden jedoch ist beispiellos in der Geschichte.

Die Ausführung des Verbrechens lag in der Hand weniger. Vor den Augen der Öffentlichkeit wurde es abgeschirmt. Aber jeder Deutsche konnte miterleben, was jüdische Mitbürger erleiden mußten, von kalter Gleichgültigkeit über versteckte Intoleranz bis zu offenem Haß.

Wer konnte arglos bleiben nach den Bränden der Synagogen, den Plünderungen, der Stigmatisierung mit dem Judenstern, dem Rechtsentzug, den unaufhörlichen Schändungen der menschlichen Würde?

Wer seine Ohren und Augen aufmachte, wer sich informieren wollte, dem konnte nicht entgehen, daß

Deportationszüge rollten. Die Phantasie der Menschen mochte für Art und Ausmaß der Vernichtung nicht ausreichen. Aber in Wirklichkeit trat zu den Verbrechen selbst der Versuch allzu vieler, auch in meiner Generation, die wir jung und an der Planung und Ausführung der Ereignisse unbeteiligt waren, nicht zur Kenntnis zu nehmen, was geschah.

Es gab viele Formen, das Gewissen ablenken zu lassen, nicht zuständig zu sein, wegzuschauen, zu schweigen. Als dann am Ende des Krieges die ganze unsagbare Wahrheit des Holocaust herauskam, beriefen sich allzu viele von uns darauf, nichts gewußt oder auch nur geahnt zu haben.

Schuld oder Unschuld eines ganzen Volkes gibt es nicht. Schuld ist, wie Unschuld, nicht kollektiv, sondern persönlich.

Es gibt entdeckte und verborgen gebliebene Schuld von Menschen. Es gibt Schuld, die sich Menschen eingestanden oder abgeleugnet haben. Jeder, der die Zeit mit vollem Bewußtsein erlebt hat, frage sich heute im stillen selbst nach seiner Verstrickung.

Der ganz überwiegende Teil unserer heutigen Bevölkerung war zur damaligen Zeit entweder im Kindesalter oder noch gar nicht geboren. Sie können nicht eine eigene Schuld bekennen für Taten, die sie gar nicht begangen haben. Kein fühlender Mensch erwartet von ihnen, ein Büßerhemd zu tragen, nur weil sie Deutsche sind. Aber die Vorfahren haben ihnen eine schwere Erbschaft hinterlassen.

Wir alle, ob schuldig oder nicht, ob alt oder jung,

müssen die Vergangenheit annehmen. Wir alle sind von ihren Folgen betroffen und für sie in Haftung genommen. Jüngere und Ältere müssen und können sich gegenseitig helfen, zu verstehen, warum es lebenswichtig ist, die Erinnerung wachzuhalten.

Es geht nicht darum, Vergangenheit zu bewältigen. Das kann man gar nicht. Sie läßt sich ja nicht nachträglich ändern oder ungeschehen machen. Wer aber vor der Vergangenheit die Augen verschließt, wird blind für die Gegenwart. Wer sich der Unmenschlichkeit nicht erinnern will, der wird wieder anfällig für neue Ansteckungsgefahren.

Das jüdische Volk erinnert sich und wird sich immer erinnern. Wir suchen als Menschen Versöhnung.

Gerade deshalb müssen wir verstehen, daß es Versöhnung ohne Erinnerung gar nicht geben kann. Die Erfahrung millionenfachen Todes ist ein Teil des Innern jedes Juden in der Welt, nicht nur deshalb, weil Menschen ein solches Grauen nicht vergessen können. Sondern die Erinnerung gehört zum jüdischen Glauben.

Das Vergessenwollen verlängert das Exil,
und das Geheimnis der Erlösung heißt Erinnerung.
Diese oft zitierte jüdische Weisheit will wohl besagen, daß der Glaube an Gott ein Glaube an sein Wirken in der Geschichte ist. Die Erinnerung ist die Erfahrung vom Wirken Gottes in der Geschichte. Sie ist die Quelle des Glaubens an die Erlösung. Diese Erfahrung schafft Hoffnung, sie schafft Glauben an Erlösung, an Wiedervereinigung des Getrennten,

an Versöhnung. Wer sie vergißt, verliert den Glauben.

Würden wir unsererseits vergessen wollen, was geschehen ist, anstatt uns zu erinnern, dann wäre dies nicht nur unmenschlich. Sondern wir würden damit dem Glauben der überlebenden Juden zu nahe treten, und wir würden den Ansatz zur Versöhnung zerstören.

Für uns kommt es auf ein Mahnmal des Denkens und Fühlens in unserem eigenen Inneren an.

IV

DER 8. MAI IST EIN TIEFER HISTORISCHER EINSCHNITT, nicht nur in der deutschen, sondern auch in der europäischen Geschichte. Der europäische Bürgerkrieg war an sein Ende gelangt, die alte europäische Welt zu Bruch gegangen. »Europa hatte sich ausgekämpft« (M. Stürmer). Die Begegnung amerikanischer und sowjetrussischer Soldaten an der Elbe wurde zu einem Symbol für das vorläufige Ende einer europäischen Ära.

Gewiß, das alles hatte seine alten geschichtlichen Wurzeln. Großen, ja bestimmenden Einfluß hatten die Europäer in der Welt, aber ihr Zusammenleben auf dem eigenen Kontinent zu ordnen, das vermochten sie immer schlechter. Über hundert Jahre lang hatte Europa unter dem Zusammenprall nationalistischer Übersteigerungen gelitten. Am Ende des Ersten Weltkrieges war es zu Friedensverträgen gekommen. Aber ihnen hatte die Kraft gefehlt, Frieden zu stiften. Erneut waren nationalistische Leidenschaften aufgeflammt und hatten sich mit sozialen Notlagen verknüpft.

Auf dem Weg ins Unheil wurde Hitler die treibende Kraft. Er erzeugte und er nutzte Massenwahn. Eine schwache Demokratie war unfähig, ihm Einhalt zu gebieten. Und auch die europäischen Westmächte, nach Churchills Urteil »arglos, nicht schuldlos«, trugen durch Schwäche zur verhängnisvollen Entwicklung bei. Amerika hatte sich nach dem Ersten Weltkrieg wieder zurückgezogen und war in den dreißiger Jahren ohne Einfluß auf Europa.

Hitler wollte die Herrschaft über Europa, und zwar durch Krieg. Den Anlaß dafür suchte und fand er in Polen. Am 23. Mai 1939 – wenige Monate vor Kriegsausbruch – erklärte er vor der deutschen Generalität: »Weitere Erfolge können ohne Blutvergießen nicht mehr errungen werden . . . Danzig ist nicht das Objekt, um das es geht. Es handelt sich für uns um die Erweiterung des Lebensraumes im Osten und Sicherstellung der Ernährung . . . Es entfällt also die Frage, Polen zu schonen, und bleibt der Entschluß, bei erster passender Gelegenheit Polen anzugreifen . . . Hierbei spielen Recht oder Unrecht oder Verträge keine Rolle.«

Am 23. August 1939 wurde der deutsch-sowjetische Nichtangriffspakt geschlossen. Das geheime Zusatzprotokoll regelte die bevorstehende Aufteilung Polens. Der Vertrag wurde geschlossen, um Hitler den Einmarsch in Polen zu ermöglichen. Das war der damaligen Führung der Sowjetunion voll bewußt. Allen politisch denkenden Menschen jener Zeit war klar, daß der deutsch-sowjetische Pakt Hitlers Einmarsch in Polen und damit den Zweiten Weltkrieg bedeutete.

Dadurch wird die deutsche Schuld am Ausbruch des Zweiten Weltkrieges nicht verringert. Die Sowjetunion nahm den Krieg anderer Völker in Kauf, um sich am Ertrag zu beteiligen. Die Initiative zum Krieg aber ging von Deutschland aus, nicht von der Sowjetunion. Es war Hitler, der zur Gewalt griff. Der Ausbruch des Zweiten Weltkrieges bleibt mit dem deutschen Namen verbunden.

Während dieses Krieges hat das nationalsozialistische Regime viele Völker gequält und geschändet. Am Ende blieb nur noch ein Volk übrig, um gequält, geknechtet und geschändet zu werden: das eigene, das deutsche Volk. Immer wieder hat Hitler ausgesprochen: wenn das deutsche Volk schon nicht fähig sei, in diesem Krieg zu siegen, dann möge es eben untergehen. Die anderen Völker wurden zunächst Opfer eines von Deutschland ausgehenden Krieges, bevor wir selbst zu Opfern unseres eigenen Krieges wurden.

Es folgte die von den Siegermächten verabredete Aufteilung Deutschlands in verschiedene Zonen. Inzwischen war die Sowjetunion in alle Staaten Ost- und Südosteuropas, die während des Krieges von Deutschland besetzt worden waren, einmarschiert. Mit Ausnahme Griechenlands wurden alle diese Staaten sozialistische Staaten.

Die Spaltung Europas in zwei verschiedene politische Systeme nahm ihren Lauf. Es war erst die Nachkriegsentwicklung, die sie befestigte. Aber ohne den von Hitler begonnenen Krieg wäre sie nicht gekommen. Daran denken die betroffenen Völker zuerst, wenn sie sich des von der deutschen Führung ausgelösten Krieges erinnern.

Im Blick auf die Teilung unseres eigenen Landes und auf den Verlust großer Teile des deutschen Staatsgebietes denken auch wir daran. In seiner Predigt zum 8. Mai sagte Kardinal Meißner in Ostberlin: »Das trostlose Ergebnis der Sünde ist immer die Trennung.«

V

DIE WILLKÜR DER ZERSTÖRUNG WIRKTE IN DER WILLkürlichen Verteilung der Lasten nach. Es gab Unschuldige, die verfolgt wurden, und Schuldige, die entkamen. Die einen hatten das Glück, zu Hause in vertrauter Umgebung ein neues Leben aufbauen zu können. Andere wurden aus der angestammten Heimat vertrieben.

Wir in der späteren Bundesrepublik Deutschland erhielten die kostbare Chance der Freiheit. Vielen Millionen Landsleuten bleibt sie bis heute versagt.

Die Willkür der Zuteilung unterschiedlicher Schicksale ertragen zu lernen, war die erste Aufgabe im Geistigen, die sich neben der Aufgabe des materiellen Wiederaufbaus stellte. An ihr mußte sich die menschliche Kraft erproben, die Lasten anderer zu erkennen, an ihnen dauerhaft mitzutragen, sie nicht zu vergessen. In ihr mußte die Fähigkeit zum Frieden und die Bereitschaft zur Versöhnung nach innen und außen wachsen, die nicht nur andere von uns forderten, sondern nach denen es uns selbst am allermeisten verlangte.

Wir können des 8. Mai nicht gedenken, ohne uns bewußtzumachen, welche Überwindung die Bereitschaft zur Aussöhnung den ehemaligen Feinden abverlangte. Können wir uns wirklich in die Lage von Angehörigen der Opfer des Warschauer Ghettos oder des Massakers von Lidice versetzen?

Wie schwer mußte es aber auch einem Bürger in Rotterdam oder London fallen, den Wiederaufbau unseres Landes zu unterstützen, aus dem die Bomben stammten, die erst kurze Zeit zuvor auf seine Stadt gefallen waren. Dazu mußte allmählich eine Gewißheit wachsen, daß Deutsche nicht noch einmal versuchen würden, eine Niederlage mit Gewalt zu korrigieren.

Bei uns selbst wurde das Schwerste den Heimatvertriebenen abverlangt. Ihnen ist noch lange nach dem 8. Mai bitteres Leid und schweres Unrecht widerfahren. Um ihrem schweren Schicksal mit Verständnis zu begegnen, fehlt uns Einheimischen oft die Phantasie und auch das offene Herz.

Aber es gab alsbald auch große Zeichen der Hilfsbereitschaft. Viele Millionen Flüchtlinge und Vertriebene wurden aufgenommen. Im Laufe der Jahre konnten sie neue Wurzeln schlagen. Ihre Kinder und

Enkel bleiben auf vielfache Weise der Kultur und der Liebe zur Heimat ihrer Vorfahren verbunden. Das ist gut so, denn das ist ein wertvoller Schatz in ihrem Leben.

Sie haben aber selbst eine neue Heimat gefunden, in der sie mit den gleichaltrigen Einheimischen aufwachsen und zusammenwachsen, ihre Mundart sprechen und ihre Gewohnheiten teilen. Ihr junges Leben ist ein Beweis für die Fähigkeit zum inneren Frieden. Ihre Großeltern oder Eltern wurden einst vertrieben, sie jedoch sind jetzt zu Hause.

Früh und beispielhaft haben sich die Heimatvertriebenen zum Gewaltverzicht bekannt. Das war keine vergängliche Erklärung im anfänglichen Stadium der Machtlosigkeit, sondern ein Bekenntnis, das seine Gültigkeit behält. Gewaltverzicht bedeutet, allseits das Vertrauen wachsen zu lassen, daß auch ein wieder zu Kräften gekommenes Deutschland daran gebunden bleibt.

Die eigene Heimat ist mittlerweile anderen zur Heimat geworden. Auf vielen alten Friedhöfen im Osten finden sich heute schon mehr polnische als deutsche Gräber.

Der erzwungenen Wanderschaft von Millionen Deutschen nach Westen folgten Millionen Polen und ihnen wiederum Millionen Russen. Es sind alles Menschen, die nicht gefragt wurden, Menschen, die Unrecht erlitten haben, Menschen, die wehrlose Objekte der politischen Ereignisse wurden und denen keine Aufrechnung von Unrecht und keine Konfrontation von Ansprüchen wiedergutmachen kann, was ihnen angetan worden ist.

Gewaltverzicht heute heißt, den Menschen dort, wo sie das Schicksal nach dem 8. Mai hingetrieben hat und wo sie nun seit Jahrzehnten leben, eine dauerhafte, politisch unangefochtene Sicherheit für ihre Zukunft zu geben. Dies heißt, den widerstreitenden Rechtsansprüchen das Verständigungsgebot überzuordnen. Darin liegt der eigentliche, der menschliche Beitrag zu einer europäischen Friedensordnung, der von uns ausgehen kann.

Der Neuanfang in Europa nach 1945 hat dem Gedanken der Freiheit und Selbstbestimmung Siege und Niederlagen gebracht. Für uns gilt es, die Chance des Schlußstrichs unter eine lange Periode europäischer Geschichte zu nutzen, in der jedem Staat Frieden nur denkbar und sicher schien als Ergebnis eigener Überlegenheit und in der Frieden eine Zeit der Vorbereitung des nächsten Krieges bedeutete.

Die Völker Europas lieben ihre Heimat. Den Deutschen geht es nicht anders. Wer könnte der Friedensliebe eines Volkes vertrauen, das imstande wäre, seine Heimat zu vergessen? Nein, Friedensliebe zeigt sich gerade darin, daß man seine Heimat nicht vergißt und eben deshalb entschlossen ist, alles zu tun, um immer in Frieden miteinander zu leben. Heimatliebe eines Vertriebenen ist kein Revanchismus.

Stärker als früher hat der letzte Krieg die Friedenssehnsucht im Herzen der Menschen geweckt. Die Versöhnungsarbeit von Kirchen fand eine tiefe Resonanz. Für die Verständigungsarbeit von jungen Menschen gibt es viele Beispiele. Ich denke an die »Aktion Sühnezeichen« mit ihrer Tätigkeit in Auschwitz und Israel. Eine Gemeinde der niederrheinischen Stadt Kleve erhielt neulich Brote aus polnischen Gemeinden als Zeichen der Aussöhnung und Gemeinschaft. Eines dieser Brote hat sie an einen Lehrer nach England geschickt. Denn dieser Lehrer aus England war aus der Anonymität herausgetreten und hatte geschrieben, er habe damals im Krieg als Bombenflieger Kirche und Wohnhäuser in Kleve zerstört und wünsche sich ein Zeichen der Aussöhnung.

Es hilft unendlich viel zum Frieden, nicht auf den anderen zu warten, bis er kommt, sondern auf ihn zuzugehen, wie dieser Mann es getan hat.

In seiner Folge hat der Krieg alte Gegner menschlich und auch politisch einander nähergebracht. Schon 1946 rief der amerikanische Außenminister Byrnes in seiner denkwürdigen Stuttgarter Rede zur Verständigung in Europa und dazu auf, dem deutschen Volk auf seinem Weg in eine freie und friedliebende Zukunft zu helfen.

Unzählige amerikanische Bürger haben damals mit

ihren privaten Mitteln uns Deutsche, die Besiegten, unterstützt, um die Wunden des Krieges zu heilen. Dank der Weitsicht von Franzosen wie Jean Monnet und Robert Schuman und von Deutschen wie Konrad Adenauer endete eine alte Feindschaft zwischen Franzosen und Deutschen für immer.

Ein neuer Strom von Aufbauwillen und Energie ging durch das eigene Land. Manche alte Gräben wurden zugeschüttet, konfessionelle Gegensätze und soziale Spannungen verloren an Schärfe. Partnerschaftlich ging man ans Werk. Es gab keine »Stunde Null«, aber wir hatten die Chance zu einem Neubeginn. Wir haben sie genutzt, so gut wir konnten. An die Stelle der Unfreiheit haben wir die demokratische Freiheit gesetzt.

Vier Jahre nach Kriegsende, 1949, am heutigen 8. Mai, beschloß der Parlamentarische Rat unser Grundgesetz. Über Parteigrenzen hinweg gaben seine Demokraten die Antwort auf Krieg und Gewaltherrschaft im Artikel 1 unserer Verfassung: »Das Deutsche Volk bekennt sich darum zu unverletzlichen und unveräußerlichen Menschenrechten als Grundlage jeder menschlichen Gemeinschaft, des Friedens und der Gerechtigkeit in der Welt.« Auch an diese Bedeutung des 8. Mai gilt es heute zu erinnern.

Die Bundesrepublik Deutschland ist ein weltweit geachteter Staat geworden. Sie gehört zu den hochentwickelten Industrieländern der Welt. Mit ihrer wirtschaftlichen Kraft weiß sie sich mitverantwortlich dafür, Hunger und Not in der Welt zu bekämpfen und

zu einem sozialen Ausgleich unter den Völkern bei-
zutragen.

Wir leben seit vierzig Jahren in Frieden und Freiheit, und wir haben durch unsere Politik unter den
freien Völkern des Atlantischen Bündnisses und der
Europäischen Gemeinschaft dazu selbst einen großen
Beitrag geleistet.

Nie gab es auf deutschem Boden einen besseren
Schutz der Freiheitsrechte des Bürgers als heute. Ein
dichtes soziales Netz, das den Vergleich mit keiner
anderen Gesellschaft zu scheuen braucht, sichert die
Lebensgrundlage der Menschen. Hatten sich bei
Kriegsende viele Deutsche noch darum bemüht, ihren
Paß zu verbergen oder gegen einen anderen einzu-
tauschen, so ist heute unsere Staatsbürgerschaft ein
angesehenes Recht.

Wir haben wahrlich keinen Grund zu Überheblichkeit und Selbstgerechtigkeit. Aber wir dürfen uns der
Entwicklung dieser 40 Jahre dankbar erinnern, wenn
wir das eigene historische Gedächtnis als Leitlinie für
unser Verhalten in der Gegenwart und für die un-
gelösten Aufgaben, die auf uns warten, nutzen.
– Wenn wir uns daran erinnern, daß Geisteskranke
im Dritten Reich getötet wurden, werden wir die
Zuwendung zu psychisch kranken Bürgern als unsere
eigene Aufgabe verstehen.
– Wenn wir uns erinnern, wie rassisch, religiös und
politisch Verfolgte, die vom sicheren Tod bedroht waren, oft vor geschlossenen Grenzen anderer Staaten
standen, werden wir vor denen, die heute wirklich

verfolgt sind und bei uns Schutz suchen, die Tür nicht verschließen.

– Wenn wir uns der Verfolgung des freien Geistes während der Diktatur besinnen, werden wir die Freiheit jedes Gedankens und jeder Kritik schützen, so sehr sie sich auch gegen uns selbst richten mag.

– Wer über die Verhältnisse im Nahen Osten urteilt, der möge an das Schicksal denken, das Deutsche den jüdischen Mitmenschen bereiteten und das die Gründung des Staates Israel unter Bedingungen auslöste, die noch heute die Menschen in dieser Region belasten und gefährden.

– Wenn wir daran denken, was unsere östlichen Nachbarn im Kriege erleiden mußten, werden wir besser verstehen, daß der Ausgleich, die Entspannung und die friedliche Nachbarschaft mit diesen Ländern zentrale Aufgabe der deutschen Außenpolitik bleiben. Es gilt, daß beide Seiten sich erinnern und beide Seiten einander achten. Sie haben menschlich, sie haben kulturell, sie haben letzten Endes auch geschichtlich allen Grund dazu.

Der Generalsekretär der Kommunistischen Partei der Sowjetunion Michail Gorbatschow hat verlautbart, es ginge der sowjetischen Führung beim 40. Jahrestag des Kriegsendes nicht darum, antideutsche Gefühle zu schüren. Die Sowjetunion trete für Freundschaft zwischen den Völkern ein. Gerade wenn wir Fragen auch an sowjetische Beiträge zur Verständigung zwischen Ost und West und zur Achtung von Menschenrechten in allen Teilen Europas haben, gerade dann sollten wir dieses Zeichen aus Moskau nicht überhören. Wir wollen Freundschaft mit den Völkern der Sowjetunion.

VIII

40 Jahre nach dem Ende des Krieges ist das deutsche Volk nach wie vor geteilt. Beim Gedenkgottesdienst in der Kreuzkirche zu Dresden sagte Bischof Hempel im Februar dieses Jahres: »Es lastet, es blutet, daß zwei deutsche Staaten entstanden sind mit ihrer schweren Grenze. Es lastet und blutet die Fülle der Grenzen überhaupt. Es lasten die Waffen.«

Vor kurzem wurde in Baltimore in den Vereinigten Staaten eine Ausstellung »Juden in Deutschland« eröffnet. Die Botschafter beider deutschen Staaten waren der Einladung gefolgt. Der gastgebende Präsident der Johns-Hopkins-Universität begrüßte sie zusammen. Er verwies darauf, daß alle Deutschen auf dem Boden derselben historischen Entwicklung stehen. Eine gemeinsame Vergangenheit verknüpfe sie mit einem Band. Ein solches Band könne eine Freude oder ein Problem sein – es sei immer eine Quelle der Hoffnung.

Wir Deutschen sind ein Volk und eine Nation. Wir fühlen uns zusammengehörig, weil wir dieselbe Geschichte durchlebt haben. Auch den 8. Mai 1945 haben wir als gemeinsames Schicksal unseres Volkes erlebt, das uns eint. Wir fühlen uns zusammengehörig in unserem Willen zum Frieden. Von deutschem Boden in beiden Staaten sollen Frieden und gute Nachbarschaft mit allen Ländern ausgehen. Auch andere sollen ihn nicht zur Gefahr für den Frieden werden lassen.

Die Menschen in Deutschland wollen gemeinsam einen Frieden, der Gerechtigkeit und Menschenrecht für alle Völker einschließt, auch für das unsrige. Nicht ein Europa der Mauern kann sich über Grenzen hinweg versöhnen, sondern ein Kontinent, der seinen Grenzen das Trennende nimmt. Gerade daran mahnt uns das Ende des Zweiten Weltkrieges.

Wir haben die Zuversicht, daß der 8. Mai nicht das letzte Datum unserer Geschichte bleibt, das für alle Deutschen verbindlich ist.

IX

MANCHE JUNGE MENSCHEN HABEN SICH UND UNS IN den letzten Monaten gefragt, warum es 40 Jahre nach Ende des Krieges zu so lebhaften Auseinandersetzungen über die Vergangenheit gekommen ist. Warum lebhafter als nach 25 oder 30 Jahren? Worin liegt die innere Notwendigkeit dafür?

Es ist nicht leicht, solche Fragen zu beantworten. Aber wir sollten die Gründe dafür nicht vornehmlich in äußeren Einflüssen suchen, obwohl es diese zweifellos auch gegeben hat.

40 Jahre spielen in der Zeitspanne von Menschenleben und Völkerschicksalen eine große Rolle. Auch hier erlauben Sie mir noch einmal einen Blick auf das Alte Testament, das für jeden Menschen unabhängig von seinem Glauben tiefe Einsichten aufbewahrt.

Dort spielen 40 Jahre eine häufig wiederkehrende, eine wesentliche Rolle.

40 Jahre sollte Israel in der Wüste bleiben, bevor der neue Abschnitt in der Geschichte mit dem Einzug ins verheißene Land begann. 40 Jahre waren notwendig für einen vollständigen Wechsel der damals verantwortlichen Vätergeneration. An anderer Stelle aber (Buch der Richter) wird aufgezeichnet, wie oft die Erinnerung an erfahrene Hilfe und Rettung nur 40 Jahre dauerte. Wenn die Erinnerung abriß, war die Ruhe zu Ende.

So bedeuten 40 Jahre stets einen großen Einschnitt. Sie wirken sich aus im Bewußtsein der Menschen, sei es als Ende einer dunklen Zeit mit der Zuversicht auf eine neue und gute Zukunft, sei es als Gefahr des Vergessens und als Warnung vor den Folgen. Über beides lohnt es sich nachzudenken.

Bei uns ist eine neue Generation in die politische Verantwortung hereingewachsen. Die Jungen sind nicht verantwortlich für das, was damals geschah. Aber sie sind verantwortlich für das, was in der Geschichte daraus wird.

Wir Älteren schulden der Jugend nicht die Erfüllung von Träumen, sondern Aufrichtigkeit. Wir müssen den Jüngeren helfen zu verstehen, warum es lebenswichtig ist, die Erinnerung wachzuhalten. Wir wollen ihnen helfen, sich auf die geschichtliche Wahrheit nüchtern und ohne Einseitigkeit einzulassen, ohne Flucht in utopische Heilslehren, aber auch ohne moralische Überheblichkeit.

Wir lernen aus unserer eigenen Geschichte, wozu der Mensch fähig ist. Deshalb dürfen wir uns nicht einbilden, wir seien nun als Menschen anders und besser geworden. Es gibt keine endgültig errungene moralische Vollkommenheit – für niemanden und kein Land! Wir haben als Menschen gelernt, wir bleiben als Menschen gefährdet. Aber wir haben die Kraft, Gefährdungen immer von neuem zu überwinden.

Hitler hat stets damit gearbeitet, Vorurteile, Feindschaften und Haß zu schüren.

Die Bitte an die jungen Menschen lautet: Lassen Sie sich nicht hineintreiben in Feindschaft und Haß

gegen andere Menschen,

gegen Russen oder Amerikaner,

gegen Juden oder Türken,

gegen Alternative oder Konservative,

gegen Schwarz oder Weiß.

Lernen Sie, miteinander zu leben, nicht gegeneinander.

Lassen Sie auch uns als demokratisch gewählte Politiker dies immer wieder beherzigen und ein Beispiel geben.

Ehren wir die Freiheit.

Arbeiten wir für den Frieden.

Halten wir uns an das Recht.

Dienen wir unseren inneren Maßstäben der Gerechtigkeit.

Schauen wir am heutigen 8. Mai, so gut wir es können, der Wahrheit ins Auge.

Die Deutschen und ihre Identität

DIE DEUTSCHEN UND IHRE IDENTITÄT: ZWEI FRAGEN sind damit zusammengefaßt. Die eine heißt: Ich gehöre zu einem Volk, dem deutschen Volk. Welche Merkmale haben wir Deutschen als Volk? Was macht es aus, dazuzugehören? Was unterscheidet uns Deutsche von anderen Völkern?

Sodann aber, und das ist die zweite Frage, bin ich ein Mensch. Was hat die Tatsache, ein Deutscher zu sein, mit meiner Identität als Mensch zu tun? Fordert sie mich heraus? Prägt sie mein Bewußtsein? Stellt sie mich vor verantwortliche Aufgaben? Gerade als Deutscher vor Aufgaben, die ich sonst nicht hätte?

Fallen die Antworten auf diese Fragen unterschiedlich aus, je nachdem ob ich alt oder jung bin? Ob ich evangelisch oder katholisch bin? Ob ich in der DDR oder in der Bundesrepublik Deutschland lebe?

Identität, das ist zunächst die Frage danach, wie man sich selbst versteht. Es ist eine ganz persönliche Angelegenheit. Jeder hat seine eigenen Erlebnisse und Schwerpunkte. Davor gilt es Respekt zu haben, denn man sollte sich gegenseitig nichts aufzwingen wollen. Mit Resolutionen auf Kirchentagen oder in

Parlamenten können wir nicht über die Lebensgefühle verfügen, die die Identität eines Menschen ausmachen.

Identität ist aber auch die Frage, wie man sich anderen verständlich machen kann, ob und wie uns unsere Mitmenschen und Nachbarn verstehen. Eine Frage also nach unserer Fähigkeit zum Zusammenleben mit anderen Völkern. Eine Antwort darauf erwarten auch unsere Nachbarn, und daher ist es schon wichtig, sich mit der Frage auseinanderzusetzen: Was ist das eigentlich: deutsch?

Zunächst ist es ein naturgegebener Sachverhalt, deutsch zu sein. Es ist die Folge der Tatsache, hier geboren und aufgewachsen zu sein, die deutsche Sprache zu sprechen, sich hier zu Hause zu fühlen und damit ein Teil des eigenen Volkes zu sein. Ich bin ein Deutscher, wie ein Franzose ein Franzose, ein Russe ein Russe ist. Das ist weder ein Mangel noch ein Verdienst. Ich habe es mir nicht ausgesucht, genausowenig wie die Zeit, in der ich lebe und die mich prägt.

Es gibt eine starke Überlieferung, die mich als Deutschen durchdringt, ob ich mir dessen bewußt bin oder nicht: Die Überlieferung des Glaubens und der Kultur, der sozialen Entwicklung und der politischen Vergangenheit in Deutschland haben auch meine Existenz mitbestimmt. Damit muß ich mich auseinandersetzen, denn willenlos ausgeliefert bin ich diesen Traditionen nicht. Der Mensch kann ihnen eine neue Richtung geben und dadurch Einfluß auf seine Zeit zu nehmen suchen. Darin ist er frei, dafür ist er verantwortlich. Alle menschliche Geschichte ist Wandel, Veränderung und damit der wichtigste Beleg menschlicher Freiheit, den wir haben.

Mein Deutschsein ist also kein unentrinnbares Schicksal, sondern eine Aufgabe. Wir sind mitverantwortlich, unserem Deutschsein einen Inhalt zu geben. Denn wir müssen nicht nur uns selbst und unseren Nachbarn verständlich sein, wir wollen uns nicht nur bei uns selbst zu Hause fühlen und bei unseren Nachbarn willkommen sein; wir sollten auch einen Inhalt unseres Deutschseins finden, mit dem wir vor unseren Nachkommen bestehen können. Also: Was ist das eigentlich, deutsch?

Fragen wir danach, was Deutschland geographisch, politisch und kulturell umfaßt, so fällt eine gültige Antwort schwer. Dies ist eine Folge unserer bewegten Geschichte, besonders im Hinblick auf unsere Grenzen. Wer in einem historischen Atlas blättert, findet beinahe auf jeder Seite ein anderes, mehr oder weniger deutsches Reichsgebiet. Das liegt an unserer Lage in der Mitte des Kontinents. Niemand hat so viele Nachbarn wie wir. Sie alle haben ständig Einfluß auf die politische Struktur Zentraleuropas gesucht.

Die deutsche Geschichte hat noch nie den Deutschen allein gehört. Mehr als andere haben wir erfahren, daß Geschichte Wandel ist. Auf die Frage nach der politischen Gestalt der europäischen Mitte hat es bisher keine endgültige Antwort der Geschichte gegeben. Auch die heutige Gestalt dürfte nicht das letzte Wort der Geschichte sein. Das erfüllt die Menschen in Europa mit ganz unterschiedlichen Gefühlen: Mit Sorgen die einen, mit Hoffnung die anderen, mit gemischten Gefühlen die dritten. Ihnen allen gegenüber, den Besorgten, den Hoffenden, den Suchenden, ist unsere Verantwortung groß.

Infolge der ständigen historisch-politischen Veränderungen gibt es gute Gründe für die Schwankungen unseres Selbstbewußtseins, die Hand in Hand mit unserer Geschichte gehen und unsere Identität beeinflussen. Manchmal wollte man gern Deutscher sein, sich vorzeigen – manchmal eher sich klein und unsichtbar machen.

Um die Gründe unseres heutigen Bewußtseins besser sichtbar zu machen, möchte ich gern noch einmal zurückblicken. Aber warum denn noch einmal zurückblicken, wird vielleicht manch einer fragen. Haben wir nicht ganz andere Sorgen als die Frage nach unserer deutschen Identität? Wir haben doch unsere großen Aufgaben in der Gegenwart: die hartnäckige Arbeitslosigkeit; die Zukunftssorgen junger Menschen im Hinblick auf Ausbildung und Beruf; die Sorge um den Frieden; der Gegensatz zwischen Arm und Reich; der Schutz der Natur um ihrer selbst und um unserer Kinder willen; die Gefahr, daß wir nur die Zauberlehrlinge unserer wissenschaftlichen und technischen Fähigkeiten sind. Und schließlich: Hier bei uns leben wir in großer Freiheit. Sie zu genießen, uns ihre Rechte zu sichern, das können wir. Aber ihre Pflichten zu tragen, sie mit verantwortlichen

Inhalten zu füllen, sie anderen zugänglich zu machen, die noch auf sie warten – sie mit anderen zu teilen – können wir das auch?

Das alles sind große Aufgaben, um die unsere Gedanken kreisen. Sie gehören zu unserem Selbstverständnis, zu unserer Identität. Und nun die Frage: Sind das alles spezifisch deutsche Probleme? Sind sie entstanden und für uns vorhanden, weil wir Deutsche sind? Sind sie lösbar innerhalb unserer geistigen und politischen Landschaft?

Nein, ganz gewiß: Frieden und Umwelt, Hunger und Gerechtigkeit, Medien und Wissenschaft – das alles weist weit über unsere Grenzen hinaus. Diese Probleme begründen keine spezifisch deutsche Identität. Und weil sie so stark im Bewußtsein vieler Menschen, vor allem junger Menschen, verankert sind, deshalb scheint es zunächst, als ob viele unter uns, zumal viele der Jüngeren, an den Fragen der deutschen Identität nicht besonders interessiert seien.

Aber ist das wirklich so? Betrachten wir das Problem zunächst von außen. Ich war kürzlich in Holland und habe dort mit jungen Menschen diskutiert. Ich habe nach Arbeitslosen, Umwelt und Frieden gefragt. Sie aber wollten ganz anderes wissen: Wie wir zur Vergangenheit stehen? Ob man uns fürchten muß? Wie wir unsere Teilung sehen? Für sie hat sich mit der Teilung Europas nicht der Osten nach Westen verschoben, für sie ist mit dem Entstehen der Bundesrepublik Deutschland vielmehr der Westen – nämlich der Westen der Demokratien – weiter nach Osten gerückt. Nicht alle Holländer, nicht alle Nachbarn denken so, aber man sieht keineswegs davon ab, daß wir *Deutsche* sind, auch da nicht, wo es um die Lösung der oben genannten Probleme geht.

Unser Lebensgefühl wird aus Quellen gespeist, deren Ursprünge tiefer liegen und weiter zurückreichen als 1945. Wenn wir eins sein wollen mit uns selbst und wenn wir mit unseren Nachbarn im reinen sein wollen, dann müssen wir auch mit unserer Herkunft im reinen sein. So unbegründet sind die Fragen der Holländer nicht, die ich gehört habe.

In den vergangenen Monaten hat es eine tiefgehende, oft erregte, im Ergebnis heilsame Auseinandersetzung über diese Themen gegeben. Sie hat uns gezeigt, wie gegenwärtig Vergangenheit sein kann. Gewiß: So verschieden die persönlichen Schicksale damals gewesen waren, so unterschiedlich waren nun auch die Stimmen. Aber eines zeigte sich mit Klarheit: Wir müssen die Vergangenheit kennen, wir dürfen der Erinnerung gerade dort nicht ausweichen, wo sie schmerzt, wir brauchen ein gemeinsames Grundverständnis darüber. Wenn ein Volk nicht weiß, wie es zu seiner Vergangenheit steht, dann kann es in der Gegenwart leicht stolpern.

Zunächst muß ich ganz rasch viel weiter zurückgehen als vierzig Jahre. Denn unsere Identität beginnt ja nicht 1945. Die Identität der Deutschen hat viel mit der Reformation zu tun. Lange bevor sie überhaupt eine Nation bilden konnten, waren die Deutschen schon durch ihre Religion getrennt, schärfer als die meisten anderen Völker, fast zerrissen. Das hat sich auch im staatlichen Bereich tief ausgewirkt.

Deutschland ist das Land Martin Luthers, das Land der Reformation. Daraus haben die Protestanten oft gefolgert, sie hätten ein besonders enges Verhältnis zum Begriff »deutsch«. Man neigte zur Ausgrenzung der Katholiken. Die Reichsgründung unter Führung des protestantischen Preußen und Bismarcks Kulturkampf gegen die Katholische Kirche trugen dazu bei, unterschiedliche Formen eines deutschen Selbstbewußtseins bei Katholiken und Protestanten zu erzeugen.

Eigentlich ist es erst nach dem Zweiten Weltkrieg zu einer vollen Integration gekommen, nicht zuletzt durch gemeinsame Schicksale in der Kirchenverfolgung unter dem Nationalsozialismus. Heute hat für die Identität der Deutschen die Konfession keinen trennenden Charakter mehr. Aber gerade weil dies zum Glück so ist, und weil wir uns zahlenmäßig fast gleichstark auf die Konfessionen verteilen, sollten wir Deutsche um so stärkere Impulse für die Ökumene geben, sie uns stets zur Aufgabe machen. Dies ist um unseres Glaubens und um des Zeugnisses der Christen in der Welt willen dringend nötig. Und es entspricht auch dem persönlichen Bedürfnis der meisten Gemeindemitglieder in den noch immer getrennten Kirchen.

Eine prägende Rolle für Selbstbewußtsein und Identität der Deutschen spielt die Kultur. Sie ist es, die – historisch gesprochen – in erster Linie ein deutsches Nationalgefühl entstehen ließ. Es ging nicht gleich um politische Ziele, sondern zunächst um geistige Eigenständigkeit, als man sich im 18. Jahrhundert von der Vorherrschaft der französischen Kultur – und Sprache – freizumachen suchte. Lessings Nationaltheater, Herders Kulturbegriff sind beredte Zeugnisse dieser Bestrebungen. Die großen Leistungen der klassischen Philosophie und Dichtung, allen voran Kant und Goethe, fanden weltweit Widerhall. Sie gaben den Deutschen das Bewußtsein, einer geachteten Kulturnation anzugehören. Man war gern deutsch, auch wenn der Begriff der Nation schwierig blieb. Das Verhältnis von Kultur und Politik, von Geist und Macht hat uns Deutschen oft besonders zu schaffen gemacht. Schon Schiller hatte geklagt:

> *Deutschland? Aber wo liegt es?*
> *Ich weiß das Land nicht zu finden.*
> *Wo das gelehrte beginnt, hört das politische auf.*

Hölderlin nennt die Deutschen »tatenarm und gedankenvoll«. Der Gedanke schweift zurück oder voraus, die Tat aber geschieht hier und heute. Die Deutschen, sagt Nietzsche, sie sind von vorgestern und von übermorgen – sie haben kein Heute. Und Thomas Mann schließlich beschwört die deutsche Innerlichkeit, die Musikalität der Seele als schönste deutsche Eigenschaft. Zugleich sieht er bei uns einen Aufstand der Mystik gegen die Klarheit und nennt das Verhältnis des deutschen Gemütes zur Politik ein »Unverhältnis«.

Das alles sind subjektive Urteile, und es geht mir nicht darum, etwas »typisch Deutsches« mit ihnen zu beweisen. Was ich im Zusammenhang mit der Kultur sagen möchte, ist dies: Immer wenn wir Deutschen Kultur ernst nahmen und unseren eigenen Weg der Kultur suchten, waren wir nicht nur anderen willkommen, sondern wir erwiesen uns auch selbst den besten Dienst. So noch heute.

Das ist keine Frontstellung gegen das technische Zeitalter, und erst recht kein Weg ins Unpolitische. Kultur ist Lebensweise. Kultur ist daher auch Politik. Kultur, verstanden als Lebensweise, ist vielleicht die glaubwürdigste Politik. Sie ist es, die unsere Identität stärkt, und zwar gerade auch dort, wo uns staatliche und gesellschaftliche Grenzen in unserem Selbstverständnis belasten oder trennen.

Aber zurück zur staatlichen politischen Entwicklung der Deutschen. In der Zeit Napoleons war ein erwachendes Nationalbewußtsein zum Antrieb einer politischen Freiheitsbewegung geworden. Nicht mehr nur auf Lessings Theater, auch auf der politischen Bühne wurde um nationale Identität gekämpft. Nach den Niederlagen der frühdemokratischen Bewegungen der Paulskirche und nach der gewaltsamen Ausgrenzung Österreichs schuf Bismarck den Nationalstaat: Deutschland als Mittler und Brücke zwischen Ost und West, so schwebte es ihm vor.

Unterdessen nahm das nationale Selbstbewußtsein der europäischen Völker gefährliche Züge an. Man gewöhnte es sich an, sich anderen Nationen überlegen zu fühlen. Das eigene Bild wurde verherrlicht, das Bild der Nachbarn herabgesetzt. Übersteigertes Selbstgefühl verstärkte den Drang nach mehr Macht. Industrialisierung und Kolonialismus rückten vor. Nach Bismarcks Abdankung brachen auch in Deutschland die Dämme der Mäßigung. Deutschland, nicht Urheber, sondern verspäteter Teilhaber des Nationalismus, hatte einen entsprechend gefährlichen Nachholbedarf – »mit Volldampf voraus«, wie es im wilhelminischen Zeitalter hieß. Indem die Deutschen nun auch noch in die Welt ausgriffen, lenkten sie eine große Koalition übermächtiger Nachbarn gegen sich. Am Ende des Ersten Weltkrieges war Deutschland besiegt und wurde in Versailles gedemütigt.

Danach gab es verantwortliche Friedensbemühungen in Frankreich und Deutschland, aber sie waren den Gegenkräften unterlegen. Nirgends war der Nationalismus überwunden. In Deutschland staute er sich erneut an. Auf dem Boden schwerer sozialer und wirtschaftlicher Not nahm er extreme Formen an.

Hitler erhob die deutsche Nation zum obersten aller Werte. Die deutsch-germanische Rasse sollte das Recht haben, die Welt zu beherrschen. Konsequenz waren Gewalt und Krieg mit der halben Welt. In besetzten Gebieten wurden Juden und andere zusammengetrieben und ermordet. Der Holocaust nahm seinen Lauf. Völkermord, Vernichtung, Haß ohne Beispiel. Tod und unermeßliches Leid rings um uns her und bei uns selbst. Deutschland wurde zerstört, besiegt, besetzt und geteilt. Das Wort »deutsch«, was bedeutet es danach?

Hinter uns lag ein Abgrund an Gewalt und Schuld. Hinter uns lag eine furchtbare Anstrengung, die die Kräfte des Volkes aufgezehrt hatte. Man war befreit vom nationalsozialistischen Unrechtsystem. Aber für viele waren die Leiden nicht vorüber. Gewalt gegen unschuldige Menschen, Vertreibung aus jahrhundertealter Heimat folgten. Es war schwer, in jenen Tagen ein Deutscher zu sein. Es gab kein Einverständnis der Deutschen mit sich selbst. Wie hätte es auch anders sein können nach allem, was geschehen war, nach allen enttäuschten Illusionen, allem Unrecht, aller Leichtfertigkeit des Unwissens und des Gewissens, aller mangelnden Wahrhaftigkeit?

Aber die deutsche Geschichte ist 1945 nicht zu Ende gegangen. Seit bald vier Jahrzehnten gibt es auf deutschem Boden eine freiheitliche Demokratie. Auch dies ist ein Teil unserer Geschichte – ein guter Teil. Wenn heute in der Welt von den Deutschen die Rede ist, werden Freiheit, soziale Rechtsstaatlichkeit und Demokratie mitgedacht.

Unsere Demokratie hat ihre Mängel, wie jede andere auch. Man mag manche solcher Mängel auf typisch deutsche Eigenschaften zurückführen, aber damit kommt man nicht sehr weit. Unsere besonderen Erfahrungen und Erinnerungen belasten uns nicht nur, sie vermitteln uns auch hilfreiche und schützende Einsichten. Wir haben die Erfahrungen von Diktatur, Krieg und Unrechtsstaat wie kaum ein anderes Volk. Im Erbe unserer Geschichte mit ihren hellen und dunklen Kapiteln ist dies ein besonders schwerer Abschnitt. Aber je besser wir ihn verstehen, je klarer wir die Erinnerung wahren, je unzweideutiger wir die Verantwortung für die Folgen tragen, desto weniger erwachsen aus der Vergangenheit Krisen unserer Identität. Desto besser sind wir uns selbst und unseren Nachbarn verständlich.

Viele sagen: Immer diese ewigen Vergangenheitsfragen – wir haben nichts damit zu tun, wir wollen uns nicht damit belasten. In Wahrheit, glaube ich, ist es umgekehrt. Nicht hinzusehen, das bedeutet Belastung. Aber sich der Vergangenheit zu stellen, das macht uns frei, das erleichtert uns unsere Gegenwartsaufgaben.

Besonders schwer lastet die Teilung auf uns. Vor allem die Menschen in der DDR tragen schwer an ihr. Sie leben in einem Staat und einem Bündnissystem des »real existierenden Sozialismus«. Dies bestimmt ihre Erfahrung und ihr Leben existenziell. Für uns in der Bundesrepublik bedeutet dies zunächst: Wir sollten mit Urteilen über das Leben in der DDR vorsichtig sein und uns mit Ratschlägen aller Art zurückhalten. Für uns gibt es nichts besser zu wissen oder zu patronisieren. Aber wir haben allen Grund, uns mit Kopf und Herz den Menschen in der DDR zuzuwenden und verbunden zu fühlen. Dafür gibt es viele Möglichkeiten des Besuchs und persönlichen Kontakts. Erfurt und Dresden, die Mark Brandenburg und die Insel Rügen haben mehr mit uns selbst, mit unserer Identität zu tun als ein schöner Sonnenstrand am Mittelmeer. Waren Sie schon einmal in der DDR?

Jeder, der sich hier bei uns öffentlich äußert, sollte sich stets darüber Rechenschaft ablegen, ob er mit dem, was er sagt, vor den Deutschen in der DDR bestehen kann; das ist wichtiger, als daß er mit seinen Worten im eigenen hiesigen Kreis Beifall findet. Man hört drüben sehr genau hin, was bei uns alles gesprochen wird, manchmal genauer als bei uns selbst. Man registriert mit feinen Antennen, ob hier bei uns zum Beispiel ein Politiker sich bemüht, sich in die Lage eines DDR-Bürgers zu versetzen, von ihm aus zu denken, oder ob er die Deutschlandpolitik primär als Instrument zum Schlagabtausch mit dem hiesigen innenpolitischen Gegner mißbraucht.

Es gibt Dinge, die drüben kaum auf Verständnis stoßen können. Zum Beispiel wenn jemand ständig von Wiedervereinigung spricht, aber lautstark »Deutschland, Deutschland« ruft, sobald die Elf der Bundesrepublik gegen die Mannschaft aus der DDR antritt. Es ist ja nichts Böses dabei, die eigene Mannschaft anzufeuern. Aber zum einen darf man sich ruhig auch einmal über die wahrlich imponierenden Leistungen der Sportler aus der DDR freuen. Und zum anderen sollte uns der Sport helfen, nicht hindern, uns unserer Lage als Deutsche immer wieder bewußt zu werden.

Wir leben heute in zwei voneinander unabhängigen Staaten und in zwei unterschiedlichen Gesellschafts- und Bündnissystemen. Der Begriff »deutsch«, in wesentlichen Zügen vom Schicksal der Teilung geprägt, ist der Teilung selbst aber nicht zum Opfer gefallen. Die Menschen in der DDR sind nicht nur Bürger ihres Staates, sondern sie sind zugleich auch Deutsche, Deutsche wie wir.

Mit dem Kriegsende kam die Aufteilung in Besatzungszonen, mit dem Ost-West-Konflikt die Spaltung Europas und die Teilung Deutschlands sowie seine Eingliederung in Machtblöcke unterschiedlicher Werte und Ziele. Deutschland geriet aus seiner historischen Mittelposition in eine doppelte Randlage. Die Grenze zwischen den beiden antagonistischen Blöcken deckt sich mit derjenigen zwischen den beiden deutschen Staaten. Die Bundesrepublik Deutschland ist der Osten des Westens geworden, die DDR der Westen des Ostens. Die Teilung Deutschlands zu beenden, setzt voraus, daß die Teilung Europas überwunden werden kann.

Trotz doppelter Randlage bleibt Deutschland aber von den Bedingungen seiner Lage in der Mitte Europas geprägt. Zwar ist diese Mitte geteilt, aber sie bleibt Mitte. Für uns in der Bundesrepublik Deutschland wirkt sich dies in zwei Grunddaten aus. Das erste ist unsere Westbindung. Wir gehören in den Kreis der westlichen Demokratien. Es ist die innere Wertordnung, es sind die Verfassungsgrundsätze, die uns denen verbinden, welche denselben inneren Prinzipien verpflichtet sind. Diese Bindung an einen ständig verbesserungsbedürftigen, aber eben auch verbesserungsfähigen freiheitlichen und sozialen Rechtsstaat ist endgültig und unwiderruflich.

Das zweite Grunddatum ist unsere Zusammengehörigkeit mit den Deutschen in der DDR. Sie ist eine menschliche Gegebenheit und eine politische Aufgabe. Die Mitte unseres Kontinents soll blocküberwindende Kräfte der Friedensförderung stärken. Auf Grund unserer menschlichen Verbundenheit und unserer geopolitischen Mittellage sollen wir uns dafür einsetzen, unseren näheren und ferneren Nachbarn im Osten, trotz unterschiedlicher Systeme, näherzukommen und friedlich mit ihnen zusammenzuleben. Niemals war dies für die Deutschen wichtiger als im Zeichen der Teilung und im Zeitalter der atomaren Bedrohung.

Diese doppelte Lage, die sich aus unserer eindeutigen Westbindung und unserem Willen zum Ausgleich mit dem Osten ergibt, wird oft als unbequem empfunden, von Deutschen ebenso wie von Nachbarn. Wahr ist, daß die Teilung den von ihr betroffenen Menschen schwere Lasten auferlegt und daß sie ihnen Menschenrechte vorenthält. Wahr ist auch, daß es eine deutsche Frage gibt, die unbequem ist.

Wenn einer eine Frage hat, möchte er auch in der Lage sein, sie zu beantworten und damit zu erledigen. Und wenn man sie nicht beantworten kann, dann möchte man am liebsten ihre Existenz leugnen. Das ist menschlich verständlich. Aber Fragen verschwinden nicht einfach deshalb vom Erdboden, bloß weil man sie nicht beantworten kann. Das beweist die Geschichte immer wieder.

In Berlin habe ich eine Formulierung gehört, die jeder verstehen kann: Die deutsche Frage ist so lange offen, als das Brandenburger Tor zu ist. Damit ist der Kern der Frage getroffen: die Freiheit des Menschen. Nirgends ist dies deutlicher spürbar als im Zentrum des geteilten Berlin. Aber es betrifft nicht weniger alle Deutschen und alle Europäer.

Mit einer deutschen Frage zu leben, ist für die Deutschen nicht neu. In der Mitte des 19. Jahrhunderts war das politische Geschehen in Deutschland geradezu von der deutschen Frage beherrscht. Man rang um Einheit und um Freiheit, im Sinne verfassungsmäßiger, freiheitlicher Bürgerrechte. Beide Ziele lagen in einem Spannungsverhältnis zueinander. Die Vorkämpfer für eine freiheitliche Verfassung im Innern erlitten mit dem Scheitern der Revolution von 1848 eine schwere Niederlage, und am Ende erhielt die Einheit den Vorrang vor der Freiheit, welche in wichtigen Bereichen noch auf sich warten ließ. Auch heute bewegt sich die deutsche Frage im Spannungsfeld von Einheit und Freiheit. Aber der Kern der Frage ist heute die Freiheit. Ein Fortschritt in Richtung auf Einheit um den Preis von Freiheit wäre ein Rückschritt.

Geteilt sind, ich sagte es schon, nicht nur Berlin und Deutschland, geteilt ist die Gemeinschaft der Europäer. Die europäischen Nationen haben untereinander lange genug um die Vormacht gekämpft.

Obwohl sie aus gemeinsamen historischen und kulturellen Wurzeln hervorgegangen sind, trat im Kampf um die Macht und in der Übersteigerung der Nationalismen das Bewußtsein von der Gemeinschaft der europäischen Völker in den Hintergrund. Die europäischen Weltkriege dieses Jahrhunderts waren selbstzerfleischende Bruderkriege. An ihrem Ende ist das Bewußtsein von der Zusammengehörigkeit Europas erneut gewachsen. Wir gehören wieder denselben historischen Entwicklungen an und gründen unser privates und staatliches Leben wieder auf verwandte Werte.

Das Thema der Einheit, das sich uns heute stellt, ist primär ein gesamteuropäisches. Seine Substanz betrifft nicht, wie früher, Gebietsfragen. Es geht nicht mehr darum, Grenzen zu verschieben, sondern ihnen den trennenden Charakter für die Menschen zu nehmen. Es geht um Menschenwürde, um Menschenrecht, um Glaubens- und Gewissensfreiheit, um Freiheit der Meinung und der Bewegung, und darüber hinaus um die Verantwortung für die Natur und um eine gerechte Entwicklung in der Dritten Welt. Bereits in der Schlußakte von Helsinki, die vor zehn Jahren unterzeichnet wurde, standen diese Ziele im Mittelpunkt. Helsinki hat eine tiefe Wirkung gehabt und sollte sie weiter haben.

Mit der Einheit Europas ist nicht staatliche Einheit oder Gleichheit der Systeme gemeint, sondern ein gemeinsamer Weg hin zur Freiheit. Die deutsche Frage ist in diesem Sinn eine europäische Aufgabe.

Für ein solches Ziel mit friedlichen Mitteln zu wirken, ist vor allem Sache der Deutschen. Wären wir einander gleichgültig in den beiden deutschen Staaten, so wäre dies viel schwieriger. Es ist gerade das Gefühl der Zusammengehörigkeit über Systemgrenzen hinweg, das uns stärker motiviert.

Jeder denke dabei zuerst an das, was er selbst beitragen kann. Wir sind hier im Evangelischen Kirchentag versammelt. Die evangelischen Kirchen in beiden deutschen Staaten gehen ihren Weg nicht nur in voller Unabhängigkeit voneinander, sondern auch in der besonderen Gemeinschaft der ganzen evangelischen Christenheit in Deutschland. Wir tragen dafür in partnerschaftlicher Freiheit gemeinsam Mitverantwortung. Viele von uns waren im Luther-Jahr drüben. Und vielen ist dieses Erlebnis unvergeßlich geworden. Wenn ich über meine Identität als Deutscher nachdenke, denke ich eben auch und stark an Wittenberg. Und ich wiederhole dies hier so, wie ich es beim Kirchentag auf dem Marktplatz von Wittenberg im Luther-Jahr 1983 gesagt habe. Wir waren dort und wir sind hier verbunden in dem, was den Kirchentag immer ausgemacht hat und was ihn auch weiterhin tragen wird:

– Jung und Alt, Laien und Pfarrer arbeiten aktiv zusammen, um ihren christlichen Glauben in der Welt zu bezeugen, und bemühen sich, Konsequenzen für das eigene Leben daraus zu ziehen.

– Um der Glaubwürdigkeit des christlichen Zeugnisses willen machen wir nicht halt an Grenzen von

Bekenntnissen, Gemeinden, Landeskirchen oder Ländern. Kirchentag und Ökumene sind eins.

– Wir leben hüben und drüben unter verschiedenen Bedingungen und gesellschaftlichen Systemen und haben verschiedene persönliche Spielräume. Wir respektieren dies gegenseitig. Keiner will dem anderen in unangemessener Weise dreinreden. Aber wir sind, wenn auch in zwei Staaten, hüben und drüben Deutsche. Uns verbindet mehr als Sprache, Kultur und Haftung für die Geschichte: Auch die wesentlichen Ziele sind uns gemeinsam.

Dies fängt beim Einfachsten an: Wir atmen dieselbe Luft. Sie macht vor Grenzen nicht halt. Sie reinzuhalten, ist unser gemeinsames Interesse. Auch der Friede, um den wir uns sorgen und bemühen, ist nicht teilbar zwischen Ost und West. Wenn wir um ihn ringen, sollten wir dies gemeinsam tun und uns nicht zersplittern in Träumer und Realisten. Frieden zwischen Menschen und Völkern fällt uns nicht in den Schoß. Es genügt nicht, Gegensätze mit Gefühl und Konflikte mit Sehnsucht zu überspielen. Der Frieden verlangt gute christliche Tugenden, nämlich Nüchternheit und Aufrichtigkeit. Der Realist aber muß die Kraft haben zu erkennen, daß es für die Sicherung des Friedens eben nicht genügt, wenn alles einfach so bleibt, wie es in Europa seit vierzig Jahren ist.

Ich lebe in der Bundesrepublik Deutschland und übe ein Amt im Rahmen unserer Verfassung aus, zu deren freiheitlichen Werten und Zielen ich mich voll bekenne und die ich nicht relativiere. Aber das schließt nicht aus, sondern ein, daß wir zum Beispiel in den Verhandlungen zur Abrüstung und Rüstungskontrolle nicht immer der einen Seite das absolut Gute und Richtige, der anderen das absolut Böse und Falsche zurechnen dürfen. Gut und Böse, Gerechtigkeit und Selbstgerechtigkeit, Irrtum und Schuld gibt es überall.

Zum Frieden gehört es, sich gegenseitig nicht festzunageln auf Äußerungen, die der Konfrontation dienen und die es auf jeder Seite gibt. Besser ist es, an positive Ansätze der jeweils anderen Seite anzuknüpfen. Es ist überhaupt kein Triumph, wieder einmal beweisen zu können, der Gegner sei und bleibe so verstockt wie stets; man habe es ja immer gewußt. Hinter einer solchen Haltung verbirgt sich in Wahrheit das Bedürfnis, sich den Gegner als Gegner zu erhalten, damit man sich selbst nur ja nicht zu korrigieren braucht. Manchmal kann man seinen Gegner besser verstehen als dieser sich selbst. Dann kann man sich selbst auch besser korrigieren.

Immer wieder diskutieren wir über die Abschreckungsstrategie. Wie sollte es auch anders sein? Wir können sie rational kaum nachvollziehen. Ein Schweigen der Waffen durch Waffen zu erzwingen, deren Einsatz alle vernichtet, den Gegner und uns selbst: wie soll der Mensch solches begreifen? Aber wenn wir aufrichtig sind, erkennen wir, daß es in den letzten Jahrzehnten ohne diese Waffen ungleich schwerer gewesen wäre, in unserer Region kriegerische Verwicklungen zu vermeiden. Das ist eine Aporie, ein Widerspruch, ein schwerer Konflikt, aus dem niemand einen einfachen Ausweg weiß. Auch dies nicht zu verschweigen, sondern einzugestehen, gehört zur Verantwortung für den Frieden.

Die Vollversammlung des Ökumenischen Rates der Kirchen in Vancouver hat gesagt: Nirgendwo kann es je Frieden geben, »wenn es nicht überall für alle Gerechtigkeit gibt«. Das nackte, individuelle Überleben hier in Zentraleuropa ist der Güter einziges und höchstes nicht. Wir in Europa müssen und wollen uns für die Kontrolle und vor allem die Verminderung von Rüstungen mit unserer ganzen Kraft einsetzen. Aber wir sollten uns hüten vor einer sicherheitspolitischen Besessenheit zwischen Ost und West. Es geht nicht allein um Rüstung und Abrüstung, sondern um friedliche Beziehungen und um Zusammenarbeit auf allen Gebieten zwischen Ost und West. Erst wenn wir Armut und Hunger in der Welt lindern helfen, wenn wir zur Gerechtigkeit überall beitragen, erst dann ebnen wir wirklich den Weg zum Frieden. Es geht um einen menschengerechten Frieden. In Wittenberg auf dem Kirchentag hieß die Losung: »Vertrauen wagen«; unsere Losung hier in Düsseldorf heißt: »Die Erde ist des Herrn«. In Wittenberg wie in Düsseldorf können wir sagen: »Vertrauen gemeinsam wagen«. Es ist die uns gemeinsame Erde des einen Herrn.

»Die Deutschen und ihre Identität.« Was heißt es nun eigentlich, deutsch?

Wir sind Menschen wie andere auch, und wie alle lieben wir unsere Heimat. Freilich hat unsere Lage, unsere Geschichte, haben unsere vielen Nachbarn und nicht zuletzt wir selbst helles Licht und dunkle Schatten verbreitet. Das hat viele Wandel mit sich gebracht und uns den Nachbarn und uns selbst oft schwer verständlich gemacht. Der Lauf der Dinge hat uns kein gleichmäßiges und selten ein vereintes Dasein beschert, sondern Trennungen auferlegt. Diese zu ertragen, ohne gleichgültig zu werden, müssen wir immer wieder lernen. Wir müssen und wir können die Teilung nutzen und fruchtbar machen, nicht nur für uns selbst, sondern für viele andere Menschen auch.

Der französische Dichter Paul Claudel schrieb nach dem Ende des Zweiten Weltkrieges über uns Deutsche: »Deutschland ist nicht dazu da, die Völker zu spalten, sondern sie zu versammeln. Seine Rolle ist es: Übereinstimmung zu schaffen – all die unterschiedlichen Nationen, die es umgeben, spüren zu lassen, daß sie ohne einander nicht leben können, daß sie aufeinander angewiesen sind.« Das ist ein großer, ein zuversichtlicher Auftrag an uns. In der bewegten Geschichte und in der Trennung liegt auch eine Chance.

Der Weg in die Zukunft ist dunkel und offen zugleich. Auf seine Richtung einzuwirken, liegt an uns. Der Mensch ist frei. Es ist unsere Sache, dem Begriff »deutsch« einen Inhalt zu geben, mit dem wir selbst und mit dem die Welt gern und in Frieden leben können.

Zum Amtsantritt
Die Aufgaben der Deutschen

MEIN ERSTER GEDANKE GILT HEUTE DEM MANN, AUS dessen Hand ich mein Amt übernehme: Karl Carstens.

Ich danke Ihnen für Ihren klugen und uneigennützigen Rat bei der Überleitung des Amtes. Sie sind Ihren Aufgaben stets und unbeirrbar überparteilich, aber nie mit neutraler Standpunktlosigkeit nachgegangen. Sie haben die Pluralität der Auffassungen in unserem Gemeinwesen stets geachtet. Dennoch haben Sie positiv hineingewirkt in eine Sphäre der Meinungs- und Bindungslosigkeit, die der Pluralismus gelegentlich erzeugt. Ihre Amtsführung war geprägt von der Geradlinigkeit Ihres Denkens und Handelns. Sie haben unser Land mit sicherem Stil und mit Würde vertreten. Dafür möchte auch ich Ihnen und Ihrer von uns allen verehrten Frau von Herzen danken.

Unsere Verfassung spricht ausführlich von unseren Rechten als Bürger. Pflichten dagegen werden kaum erwähnt. In umgekehrter Weise behandelt das Grundgesetz das Amt des Bundespräsidenten, und zwar aus wohlerwogenen Gründen. Von seinen Befugnissen ist nur spärlich die Rede. Dagegen werden seine

Pflichten hervorgehoben, und sie werden an die höchsten Ziele gebunden. Denn was könnte es Größeres, aber auch Schwereres im Staat geben, als dem Wohl des Volkes zu dienen, seinen Nutzen zu mehren, Schaden von ihm zu wenden und Gerechtigkeit gegenüber jedermann zu üben?

Das sind die Ziele – wörtlich in der Verfassung vorgeschrieben –, auf die ich soeben meinen Eid geleistet habe. An ihnen orientieren sich meine Pflichten. Sie sind es, die mich auch heute legitimieren, Ihnen aus Anlaß meiner Amtseinführung einige persönliche Gedanken vorzutragen.

Meine Kraft dem deutschen Volk zu widmen ist meine Aufgabe. Dem deutschen Volk? Wer ist gemeint? Stocken wir hier schon? Ich glaube nicht. In beiden deutschen Staaten lebt das deutsche Volk. Von ihm, von dem ganzen deutschen Volk, geht die Präambel unseres Grundgesetzes aus.

Unmittelbar verpflichtet mich unsere Verfassung auf die Bundesrepublik Deutschland. In ihr und von ihr aus wollen wir unsere Beiträge für die Zukunft leisten, um nach innen und außen in Frieden zu leben, die Teilung zu überwinden, die Vereinigung Europas zu fördern und unserer Verantwortung in der Welt gerecht zu werden. Dazu müssen wir unsere heutige staatliche Gegenwart ernst nehmen. Die Bundesrepublik Deutschland muß eine handlungsfähige Einheit sein. Dies ist es, was auch die Deutschen in der DDR von uns erwarten. Europa wächst nicht aus verunsicherten Völkern, die auf der Flucht vor ihrer

Gegenwart leben, sondern nur aus lebensfähigen, von ihren Bürgern getragenen Einheiten.

Gewiß, wir haben unsere besonderen Schwierigkeiten mit unserem Nationalgefühl. Unsere eigene Geschichte mit ihrem Licht und ihrem Schatten und unsere geographische Lage im Zentrum Europas haben dazu beigetragen. Aber wir sind nicht die einzigen auf der Welt, die ein schwieriges Vaterland haben. Das sollten wir nicht vergessen. Nirgends sind zwei Nationen einander gleich. Jedes Nationalgefühl hat seine besonderen Wurzeln, seine unverwechselbaren Probleme und seine eigene Wärme. Unsere Lage, die sich von der der meisten anderen Nationen unterscheidet, ist kein Anlaß, uns ein Nationalgefühl zu versagen. Das wäre ungesund für uns selbst, und es wäre nur unheimlich für unsere Nachbarn.

Wir müssen und wir dürfen uns in der Bundesrepublik Deutschland zu unserem nationalen Empfinden bekennen, zu unserer Geschichte, zur offenen deutschen Frage, zur Tatsache, daß wir überzeugte Bündnis- und Gemeinschaftspartner sein können und doch mit dem Herzen auch jenseits der Mauer leben. Wir sind kein Volk verwirrter Gefühle oder romantischer Grübeleien. Wir sind auch keine wandernden Missionare zwischen den Welten. Wir sind Menschen wie andere auch. Unsere Nachbarn dürfen davon ausgehen, daß auch sie in unserer Lage ganz ähnlich empfinden würden.

Zwei Grunddaten sind es, die diese Lage kennzeichnen. Das eine ist die Zugehörigkeit zum Westen.

Sie beruht auf unserer Entscheidung für die Grundwerte des freiheitlichen und sozialen Rechtsstaates. Sie ist endgültig und unwiderruflich. Es ist dieser geistige und humane Boden, auf dem unsere Mitgliedschaft in der Europäischen Gemeinschaft und im Atlantischen Bündnis beruht. Nur weil die Partnerschaft auf gemeinsamen Überzeugungen von Menschenrecht und freier Gesellschaft gründet, kann sie Interessen ihrer Mitglieder schützen. Unser Wille zu dieser Partnerschaft ist keine opportunistische Episode von vorübergehender Dauer und schon gar kein Gegensatz zu unserer deutschen Identität, sondern vielmehr ihr unentbehrlicher Bestandteil. Wir haben länger als andere gebraucht und es nur unter größeren Schmerzen erreicht, zu dieser Lebensform zu kommen. Um so weniger werden wir sie je wieder preisgeben wollen.

Eine besondere Gemeinschaft verknüpft uns mit den Deutschen im anderen deutschen Staat. Das ist das andere Grunddatum unserer Lage. Die Geschichte hat ihnen am Ende des Zweiten Weltkrieges den schwereren Teil als uns auferlegt. Um so mehr sollten wir sie spüren lassen, daß wir die Verantwortung für diese Geschichte mit ihnen ebenso teilen wie die Wurzeln unseres geistigen und sozialen Lebens, allen Systemunterschieden zum Trotz. Dies gilt nicht nur für die großen Zeugnisse aus der Vergangenheit, für die Dome in Naumburg, Erfurt und Güstrow, für den Geist aus Wittenberg und Weimar, für die Musik aus Leipzig und Dresden. Es kennzeichnet auch die heutige lebendige Wechselwirkung. Bewegend war etwa die Aufnahme, die die Berliner Philharmoniker im neuen Gewandhaus zu Leipzig gefunden haben. Oder, um ein anderes Beispiel zu nennen: Die Aussagen von Christa Wolf haben auch für uns im Westen eine bestimmende geistige Bedeutung. Man denke nur etwa an ihre Frankfurter Kassandra-Vorlesungen.

So schön Teneriffa ist und so wichtig das Silicon Valley für unsere Entwicklung auch sein mag, der Neuaufbau der Semperoper in Dresden und das Leben der christlichen Gemeinden in der DDR berühren auch uns zutiefst. Uns Deutsche in Ost und West verknüpft eine elementare menschliche Zusammengehörigkeit. Erzwungene Abgrenzung und Zeitablauf haben sie nicht absterben lassen. Man denke nur an die Mauer. Die Absicht ihrer Erbauer war nur allzu klar und folgerichtig. Es galt, das eigene politische System zu konsolidieren. Die Bevölkerung der DDR sollte sich abfinden mit Teilung und Trennung. Aber fast noch deutlicher als vor 23 Jahren sehen wir heute, daß die Mauer dieses Ziel verfehlt. Wider Willen ist sie der überzeugende, täglich frische Beweis, daß die Frage offen ist, die sie abschließend zu beantworten versuchte. Sie macht die Zusammengehörigkeit nur augenfälliger, die sie vergessen machen wollte.

Sorgen im Ausland über die Beständigkeit der deutschen Politik können wir um so glaubwürdiger begegnen, wenn wir unbequeme Realitäten der deutschen Lage nicht verschweigen, denn sie gehören zur menschlichen Natur. Wiederum ist die Mauer in

Berlin dafür Beispiel. Ich habe dort noch keinen Polen oder Franzosen, keinen Afrikaner oder Amerikaner erlebt, der in ihrem Angesicht nicht so empfunden hätte wie wir. Übrigens hat auch Chruschtschow sie eine »häßliche Sache« genannt, die wieder weichen müsse, wenn die Gründe für ihren Bau entfielen. Und welche Gründe? Auf einer Synode in der DDR war davon unlängst eindrucksvoll die Rede: Die Menschen in der DDR fühlen sich ihrer Heimat verbunden. Sie wollen nicht weg: Heimat ist aber, so hieß es, nicht nur dort, wo man geboren ist. Heimat ist der Ort, wo man in Verantwortung genommen wird und wo man verantwortlich sein kann. Mehr Mitsprache und Mitverantwortung einräumen – das nimmt das Gefühl von Heimatlosigkeit und macht Ausreiseanträge und Abgrenzung überflüssig.

Was die Menschen in zwei deutschen Staaten miteinander verbindet, kann nur im Frieden gedeihen. Die Deutschen haben nicht mehr Angst oder mehr Friedensliebe als andere Völker auch. Aber ihre Zusammengehörigkeit über Paktgrenzen hinweg gibt ihnen besondere Impulse in Richtung auf den Frieden. Lebten wir ohne inneres Band gleichgültig nebeneinander in zwei Lagern, so wäre vielleicht unser Engagement für den Frieden weniger intensiv. Die Teilung ist ein großes Leid. Die Trennung von Menschen, die zusammengehören, erzeugt aber auch eine friedensstiftende Kraft, die uns besonders nachdrücklich nach Beiträgen zur Verständigung in der internationalen Lage suchen läßt.

Wir sind in beiden deutschen Staaten einig im Begriff der Verantwortungsgemeinschaft. Die Führungen auf beiden Seiten bekennen sich dazu, daß nie wieder Krieg vom deutschen Boden ausgehen soll. Das ist gut. Aber damit ist, wie jeder weiß, der Frieden noch nicht gesichert. Unser Frieden hängt von der Lage zwischen Ost und West im ganzen ab. Auf sie, auf das Ganze einen friedlichen Einfluß zu suchen, darauf kommt es an. Nur so dienen wir unseren deutschen Interessen, nicht aber mit dem Gaukelbild einer Neutralisierung. Es gibt nur einen Ausstieg, nämlich den mit dem Kopf in den Sand.

Das Atlantische Bündnis, zu dem wir fest stehen, hat schon in den späten sechziger Jahren mit dem Harmel-Bericht die Richtung gewiesen, die auch heute gilt: Verteidigung und Entspannung als untrennbare Bestandteile unserer Politik gegenüber der Sowjetunion und ihren Verbündeten. Wir müssen und wir werden unsere Freiheit schützen. Daher lassen wir mit uns über unseren Platz im Bündnis und über seine Fähigkeit zur Verteidigung nicht verhandeln. Sicherheit ist erforderlich. Sie verlangt die Fähigkeit zum Selbstschutz auf möglichst niedrigem Niveau.

Wir wollen unseren vollen Anteil an der Verteidigung tragen. Wir tun es im Bewußtsein, daß die Verantwortung für den Frieden im atomaren Zeitalter fast übermenschlich groß ist. Allzuoft schon in der Geschichte sind die Völker in Kriege gegeneinander geraten, zumeist gegen ihren Willen, oft durch Pannen und Irrtümer. Die Wirkung der heutigen Waffen aber hat den Charakter eines Krieges verändert. Wenn die Menschheit überleben will, dürfen die Waffen nicht eingesetzt werden.

Damit wird von uns eine ganz neue Kraft, eine ganz andere Qualität im Umgang mit Konflikten verlangt. Es gibt keinen unentrinnbaren Weg in die Katastrophe. Aber es gibt beileibe auch keinen zwingenden Grund zu Optimismus. Im Zeichen der Kernwaffen erlebt Europa heute eine seiner längsten Friedenszeiten, und wir sind dankbar dafür. Es wäre aber leichtfertig, zu glauben, daß uns nur deshalb auch eine friedliche Zukunft für immer sicher sei. Zahl und Perfektion der Waffen steigen von Jahr zu Jahr. Viele Menschen haben das Gefühl, daß dennoch oder vielleicht gerade darum die Sicherheit abnimmt. Jede Provokation, jedes Imponiergehabe, jedes waffentechnische Überholmanöver und auch jedes unbeabsichtigte Mißverständnis können gefährlich sein.

Es ist mit den Waffen wie mit anderen Bereichen der wissenschaftlichen und technischen Revolution auch. Der Mensch hat sich im Umgang mit der Natur schier grenzenlose Möglichkeiten eröffnet. Nun stößt er an eine neue Grenze, nämlich die seiner eigenen herkömmlichen Einsicht und Verantwortung. Da liegt die gewaltige Gefahr, aber auch die große und neue Chance. Weil die Kernwaffen die Menschheit auslöschen können, können sie keine Konflikte mehr lösen. Wir müssen um des Lebens willen zu einer neuen Einsicht und Verantwortung im Umgang mit

Konflikten vorstoßen. Das ist die große Herausforderung vor uns.

Werden wir diese Herausforderung bestehen? Werden wir denen, die die Hauptverantwortung tragen, helfen können, anstatt es ihnen zu erschweren? Werden wir zur Vertrauensbildung beitragen? Keinen Tag dürfen wir uns dem Druck dieser Fragen entziehen – keinen Tag inmitten des Friedens, in dem wir dankbar leben.

Wir Deutschen wollen in Frieden auch mit unseren Nachbarvölkern des Warschauer Paktes leben. Sie gehören einem fundamental anderen System zu, aber mit uns sind sie durch gemeinsame Geschichte, Kultur und Friedenswillen verbunden. Sie sind Europäer wie wir, und das sollten wir nie vergessen.

Friedliche Beziehungen zur Sowjetunion haben für uns ein besonderes Gewicht. Dazu müssen wir die Realitäten ernst nehmen, wie sie sind. Kein Bündnis wird das andere mit einem Rüstungswettlauf in die Knie zwingen. An den Verhandlungstisch wird die Sowjetunion kommen, wenn es gelingt, ihre eigenen Interessen dafür zu mobilisieren. Zu einem inneren Reformkurs wird sie sich durch Druck von außen nicht nötigen lassen. Es gilt, bei der Sowjetunion, aber auch bei uns selbst, einem gegenseitig allzu vereinfachten Weltbild entgegenzuwirken. Unzureichende Informationen und Vorurteile erzeugen wechselseitig unbegründete Angst, die nicht weniger gefährlich sein kann als Rüstung. Auch fördert es den Frieden nicht, die Welt in gut und böse einzuteilen. Wir verlieren unser Unterscheidungsvermögen zwischen Freiheit und Tyrannei keineswegs, wenn wir die Menschen in der Sowjetunion für so gut oder so böse halten wie uns selbst.

Auch wenn wir alle Kraft auf eine besonnene und verantwortliche Sicherheitspolitik verwenden, so sollten sich doch die Ost-West-Beziehungen nicht in Sicherheitsfragen erschöpfen. Rüstung, Abrüstung, Rüstungskontrolle, kurz: der ganze Bereich der Sicherheitspolitik ist von großer Bedeutung; aber er ist die Rahmenbedingung der Ost-West-Beziehungen, dagegen nicht ihr eigentlicher Inhalt. Er darf, was die friedensstiftende Wirkung betrifft, nicht ein Monopol über unser Denken und Handeln annehmen. Denn diese friedensstiftende Wirkung, so lehrt historische Erfahrung, zeigt, daß in der Regel nicht Abrüstung den Weg zum Frieden ebnet, sondern friedliche Zusammenarbeit den Weg zur Abrüstung.

In diesem Zusammenhang kann es auch deutsche Friedensbeiträge geben. Wir sind keine Führungsmächte, wir verfügen nicht über Kernwaffen, aber wir haben eine Klimaverantwortung für das Ost-West-Verhältnis. Die Kontakte zwischen verantwortlichen Politikern beider deutscher Staaten sind zahlreicher geworden. Man spricht unbefangener miteinander als früher. Man verliert weniger Zeit mit propagandistischen Einleitungen. Nun gilt es, die Substanz anzureichern. Wir wollen die anderen nicht gesundbeten, uns aber auch nicht ineinander verkrampfen.

Entscheidend ist die Entspannung, die sich nicht in Begegnungen der Politiker erschöpft, sondern von der Bevölkerung selbst am eigenen Leib erlebt werden kann. So können Klima und Beziehungen der beiden deutschen Staaten eine verklammernde Wirkung mit sich bringen, die sich gegen niemanden richtet, aber die dem Frieden in Europa nützen kann. In diesem Sinne wäre ein Besuch des Generalsekretärs der SED und Staatsratsvorsitzenden der DDR bei uns zu begrüßen. Für mich hoffe ich auf eine Entwicklung der Verhältnisse für eine spätere Gelegenheit, in die DDR reisen zu können, mit deren Menschen ich mich tief verbunden fühle und die ich herzlich grüße.

Ich komme aus Berlin in mein neues Amt. Die Geschichte dieser Stadt war immer geprägt von Weltoffenheit, Toleranz und Liberalität. Berlin wurde zum Zentrum des Deutschen Reichs. Es war nicht die Geburtsstätte, aber Machtmittelpunkt der nationalsozialistischen Herrschaft. So wurde Berlin auch Ausgangspunkt für den Weltkrieg und schließlich für den Holocaust. Wir alle haften für unsägliches Leid, das im deutschen Namen geschehen ist.

Aber nicht nur Schrecken und Verbrechen verbreiteten sich von Berlin, sondern auch immer wieder und bis zuletzt tapfere und selbstlose Taten der Menschenhilfe und des Widerstandes. Wir werden ihrer am 20. Juli in Berlin gedenken. Trotz Zerstörung, Teilung und isolierter Lage ist Berlin der Platz geblieben, der uns – wie kein anderer – Maßstäbe für unser Denken und Handeln gibt. Bald nach dem Krieg wurde die Stadt unter notvollem Druck von außen zum Symbol der Freiheitsliebe der Menschen. Unter gegenseitigem Respekt wurden dort aus ehemaligen Kriegsgegnern Freunde. Dafür gilt heute unser Dank den Franzosen, den Briten und nicht zuletzt den Amerikanern, denen wir in Frieden herzlich verbunden sind.

Von Berlin aus sind wir einander berechenbare und zuverlässige Partner geworden, und wir werden es bleiben. In Berlin leben die wichtigsten Impulse der Zusammengehörigkeit aller Deutschen. Nirgends erklärt sich der notwendige Zusammenhang vom Schutz der Freiheit im Bündnis und von friedlicher Entspannung nach Osten so selbstverständlich wie in Berlin. In Berlin hat sich auch gezeigt, daß Ost und West sich auch dort über praktische Regelungen verständigen können, wo prinzipielle Meinungsverschiedenheiten zur Zeit nicht überbrückbar sind.

In Berlin hat sich im vollen Bewußtsein der furchtbaren Vergangenheit wieder eine jüdische Gemeinde zusammengefunden, um einen neuen Anfang mit uns zu machen. Nicht verdrängen, sich erinnern hilft weiter. Daran hat sie sich gehalten. Inzwischen ist weit über Berlin hinaus im Judentum wieder Vertrauen gewachsen. Eine neue menschliche Brücke ist entstanden. Sie ist noch zart und anfällig. Aber sie trägt wieder, und sie darf nie wieder einstürzen.

So erfüllt Berlin entscheidende nationale Aufgaben für alle Deutschen. Ich bin froh, auch im neuen Amt mit Herz und Verstand Berliner bleiben zu können.

Die wichtigste Aufgabe für uns, die wir heute Verantwortung tragen, ist die lebenswerte Zukunft für
nachfolgende Generationen. Unsere Nachfahren werden nicht fragen, welche Zukunftsvisionen wir für sie
bereithielten; sie werden wissen wollen, nach welchen
Maßstäben wir unsere eigene Welt eingerichtet haben, die wir ihnen hinterlassen. Woraufhin also leben
wir heute, in unserer Zeit?

Die Maßstäbe dafür kann niemand vorschreiben.
Auf der Suche nach ihnen gibt es ständig Konflikte
und Veränderungen. Jahrelang herrschte ein neuer,
ein aufbruchartiger sozialer und kultureller Fort-
schrittsglaube vor. Das Zutrauen, daß wir die guten
Dinge machen können, bestimmte die Diskussionen.
Utopien folgten die Ernüchterung und Enttäuschung.
Heute sind die Stimmungen von einem Zeitgeist geprägt, der zwischen Zukunftsangst und Optimismus
hin- und herschwankt. Seine heftigen Ausschläge
sind kein sehr stabiles Zeichen.

Nutzen mehren, Schaden abwenden – beides gilt
dem uns allen anvertrauten Wohl. Worin sehen wir
dieses Wohl?

Nach wie vor beschäftigten wir uns stark mit
unserer wirtschaftlichen Lebensgrundlage, mit unserem materiellen Wohlergehen. Wir leben im Bestre-
ben, weit vorn in der Weltrangliste von Wirtschaft
und Technik zu stehen. In unserer Lage kann das
auch gar nicht anders sein. Aber damit erfüllen wir
den politisch-humanen Begriff des Wohls nur sehr
mager.

Das Wohl, das uns anvertraut ist, weist auf das Dauernde im unaufhaltsamen Wandel hin, auf das, was es in der Natur der Welt und des Menschen zu bewahren gilt. Es zielt auf eine Sittlichkeit, die für sich in Anspruch nimmt, über den Tag und die Generation hinaus zu bestehen. Sie fragt nach einem humanen Maßstab für die Anwendung wissenschaftlicher und technischer Fähigkeiten. Sie betrifft die Kultur im Umgang von Menschen mit Menschen, mit Dingen und mit der Zukunft. Dafür kann ich nur Beispiele nennen.

Es kommt meinem Amt zu, Fragen zu stellen und die Arbeit für Antworten auf sie zu ermutigen, nicht aber Rezepte anzubieten.

Von den Gefahren immer neuer, wirkungsgenauerer Waffen war schon die Rede. – Den Ertrag des Bodens kurzfristig zu steigern, haben wir gelernt. Können wir aber auch verhindern, daß der Boden auf diese Weise langfristig abstirbt? Werden wir angesichts unserer angewachsenen Macht, die Zukunft schon heute zu verbrauchen, auch in unseren Enkeln unseren Nächsten erkennen lernen? Fragen wir uns unerbittlich genug, ob aus dem, was wir heute tun, keinem Nachgeborenen ein Schaden entsteht? Können wir uns aus der menschlichen Überheblichkeit befreien und Rücksicht auf die Natur um ihrer selbst willen lernen?

Die Produktionstechnologie macht sprunghafte Fortschritte. Sie macht schwere Arbeit leichter, und das ist human. Sie macht vielfach Arbeit überhaupt überflüssig, und mit den Folgen werden wir bislang nicht fertig. Technischer Wandel schafft zwar auch neue Arbeit, er verändert und verlagert sie. Die Übergänge aber sind es, die uns zu schaffen machen. Viel zu viele alte und junge Menschen suchen zur Zeit vergeblich Arbeit. Wir brauchen die Tarifautonomie; wir dürfen Arbeitskämpfen nicht ausweichen. Aber werden wir auch eine Neubesinnung auf eine Sozialpartnerschaft erleben, die wir dringender als je brauchen? Die Verbände haben große wirtschaftliche und soziale Macht, weit über ihre Mitglieder hinaus. Werden sie sich und werden wir alle uns mit ihnen im wirklich uneigennützigen Kampf zugunsten Dritter, nämlich derer bewähren, die Arbeit suchen?

Europa ist für uns und für die Zukunft von entscheidender Bedeutung. Die Stimme der Europäer und ihre Verantwortung in der Welt sind dringend gefragt. Die Notstände verlangen es gebieterisch: die Überbevölkerung, der Hunger, die sozialen Spannungen, die Zahlungsunfähigkeit. Wir kommen auf unserem steinigen Weg langsam vorwärts. Gerade jetzt sind wir für Fortschritte dankbar, die in Fontainebleau erzielt wurden. Aber Großes und Schweres bleibt zu tun. Junge Menschen z. B. werden wir für Europa erst gewinnen, wenn wir ein System überwinden, mit dem wir hier bei uns Ernährungsüberschüsse finanzieren, die dort nicht einsetzbar sind, wo Menschen Hungers sterben.

In Australien haben Ärzte aus einem monatelang tiefgekühlten Embryo ein Kind entwickelt. Eine amerikanische Zeitschrift meinte dazu, die Embryos würden hier »mit ebensoviel Respekt wie gefrorene Erbsen« behandelt. Verständlicherweise werden die besorgten und heftigen Fragen zunehmen. Was für wissenschaftlich entwickelte Wickelkinder wird es noch geben? Was uns not tut, ist aber nicht die Emotionalisierung, sondern die gemeinsame sachliche und strenge Suche nach einer angemessenen Ethik. Auch die Forschung am Menschen ist Teil der freien Wissenschaft. Aber die Freiheit ist nicht schrankenlos.

In vielen Bereichen haben wir genaue Vorschriften für den Umgang mit dieser Freiheit, z. B. beim Eigentum. Reicht für die Forschung am Menschen und ihre Anwendung die verantwortliche Selbstkontrolle der Wissenschaft aus? Oder müssen wir ihr nicht doch mit klareren Rahmenregeln helfen? Will sie es nicht in Wirklichkeit selbst? Maßstäbe für den Umgang untereinander ergeben sich aus den Erfahrungen während der Kindheit. Maßgeblich dafür ist das Beispiel der Älteren in den Familien, sind die Schulen, ist aber auch das Fernsehen.

Besonders viele Fragen richten sich an die Entwicklung der elektronischen Medien. Werden uns die Gründerjahre der neuen Medien, wie manche meinen, das neue Heil bringen? Werden wir mit ihnen beweisen können, daß wir dem technischen Fortschritt menschlich gewachsen sind? Oder werden sie eine Industrialisierung des Bewußtseins bringen, eine neue, tiefgehende Entfremdung? Werden sie uns die eigenen Erlebnisse rauben und sie durch vorgefertigte, standardisierte Erfahrungen ersetzen? Werden wir uns, wenn die Videofilme immer perfekter und zahlreicher Gewalttaten und Katastrophen elektronisch verbreiten, auch hier damit zufriedengeben, der Gebrauch der Freiheit kenne nun einmal keine Grenzen? Werden uns diese Medien also ungehemmt nahebringen, wie man gegeneinander lebt? Oder werden sie uns helfen, zu lernen, was viel schwieriger, aber auch viel wichtiger zu lernen ist, nämlich wie wir miteinander auskommen?

Die Sehnsucht des menschlichen Herzens geht gewiß über eine Denver-Clan-Koexistenz hinaus. Aber wir dürfen uns nicht allein auf die Stärke der menschlichen Natur zur Selbstbehauptung verlassen. Es genügt auch nicht, auf die beruhigende Statistik zu bauen, wonach bisher nur 26 Prozent aller Zuschauer beim Fernsehen noch nie eingeschlafen sind. Ich gestehe, auch ich gehöre nicht zu dieser standhaft wachen Minderheit.

Müssen wir nicht vielmehr die gewaltige, langfristige Problematik einfach noch viel ernster nehmen als bisher? Ich meine nicht nur die Programmacher, sondern auch uns Zuschauer. Denn wir sind ja dieselben Menschen – hüben und drüben. Es ist erstaunlich, wie viele Forschungsgebiete der Staat seit Jahr und Tag fördert, wie stiefmütterlich er aber bisher die Medienwirkungsforschung behandelt hat. Es gab viel ideologischen Streit, Konflikte um vermeintliche parteipolitische Vorteile, aber wenig empirische Sozialforschung. Muß das so bleiben? Sollten wir uns nicht auch hier der Frage nach Regeln für den rechten Gebrauch dieser Freiheit stellen?

Den Schulen gilt die Frage, ob sie nicht nur Lehranstalt sind, sondern Lebensraum. Lernen die Kinder neben der notwendigen kritischen Fähigkeit, Konflikte zu führen, auch, Konflikte zu beenden? Das Beispiel der Erwachsenen ist da mitunter recht trübe. Lernen sie, etwas von sich zu verlangen und dadurch Selbstbewußtsein und Lebensmut zu gewinnen? Der Sport ist dafür wertvoll; man kann dies vor allem beim Versehrtensport sehen. Freilich, die Erfahrung mit dem Sport gilt natürlich auch für Erwachsene, auch für Ältere. Die 680 000 Mitbürger, die im letzten Jahr das Sportabzeichen erworben haben, werden auch mir als gutes Beispiel dienen.

Welche Rolle spielt neben dem erlernbaren Wissen die Phantasie? Sie ist kein musischer Winkel für ein paar künstlerisch Begabte, sondern sie ist eine Lebenshilfe für jeden von uns in der technischen Welt. Ich bin kein sachverständiger Liebhaber aller Schöpfungen von Joseph Beuys. Aber ich bin beeindruckt von seinem pädagogischen Kunstbegriff und seinen Forderungen, daß wir uns nicht in Künstler und Nichtkünstler einteilen lassen dürften. Vielmehr sollten wir in jedem Menschen einen Mitgestalter von Leben und Zukunft und damit einen auf seine Weise künstlerisch tätigen Mitmenschen sehen. Kinder, die musisch erzogen werden und schon früh das Gefühl für Reim und Rhythmus bekommen, lernen später besser lesen. Wer gut lesen kann, versteht und verarbeitet überdies erwiesenermaßen das Fernsehen besser. Ich hoffe, mit Schülern aller Schulen möglichst oft zusammenzutreffen und sprechen zu können.

Jahrzehnte hindurch haben wir die Lebensbedingungen der Familie materiell und moralisch geschwächt. Das uns anvertraute Wohl nimmt dadurch schweren Schaden. Wie können wir ihn wenden? Wie begegnen wir dem Zusammenwirken von familienfeindlicher ökonomischer Struktur und menschlicher Bequemlichkeit? Wird uns die lebensnotwendige Korrektur eines Systems gelingen, welches den Gegenwartskonsum fördert, die Zukunftsvorsorge bestraft und damit den Wunsch nach Kindern entmutigt? Werden wir der viel zu weit gehenden, der unmenschlichen Isolierung alter Menschen wehren? Wird es gelingen, die Kinder während ihrer ersten Lebensjahre unter besseren Bedingungen im eigenen Elternhaus zu erziehen und damit frühkindliche Gesundheitsschäden zu vermeiden?

Was Frauen in unserer Zeit vor allem bewegt und was sie fragen, ist berechtigt und ist Ausdruck einer historischen Veränderung. Es ist in erster Linie an uns, an den Männern, zwar nicht immer die Antworten zu geben, aber sie möglich zu machen. Wenn Männer die Fragen der Frauen ernst nehmen, ohne sie auf dem Rücken der Familie zu beantworten, dann müssen sie zunächst sich selbst stärker den Familien zuwenden.

Je mehr bloße Zweckbündnisse, vorübergehende Beziehungen unter Menschen entstanden sind, desto mehr wächst zugleich ein tiefes Verlangen nach Entschiedenheit, nach Verbindlichkeit und Dauer, nach etwas anderem als dem Management von Beziehungskrisen, nach Bindung, Wärme und Liebe. Es geht nicht um Partnerschaft als Eheersatz, sondern es geht um partnerschaftliche Ehe.

Es gibt bei uns besondere Minderheiten. Ich denke an die bei uns lebenden Ausländer. Auch hier muß sich die Kultur im Umgang vom Menschen mit dem Menschen bewähren. Das erfordert große Anstrengungen auf beiden Seiten. Gelingen kann es nur, wenn die Zahl der Ausländer nicht weiter wächst. Die allermeisten von ihnen haben wir eingeladen, zu uns zu kommen. Das ist unsere Verantwortung. Sie erbringen ihre Leistungen, aber viele von ihnen leben in Spannungen und Zukunftssorgen. Soweit sie auf die Dauer bei uns bleiben wollen, müssen sie die Fähigkeit und den Willen entwickeln, mit uns allmählich zusammenzuwachsen. Unsere Aufgabe ist es, Lebensbrücken zu bauen und der kulturellen Eigenständigkeit der Ausländer Raum zu lassen. Die beste Friedenserziehung für Kinder wird es, so glaube ich, sein, Ausländerkinder in deren Familien zu besuchen und ihnen dort zu helfen. Dann erwerben sie ganz von selbst ein Empfinden dafür, daß sich Deutsche und Ausländer gegenseitig achten und bereichern können.

Dringend unserer Zuwendung bedarf der Strafvollzug. Das ist kein Problem der Ideologie, sondern der praktischen Verhältnisse, unter denen Insassen und Mitarbeiter im Vollzug leiden. Vor allem bei Jugendlichen und Erststraftätern sollte an ihre Zukunft gedacht werden. Für das Gnadenwesen frage ich, wie wir verhindern können, daß es immer weiter verrechtlicht und abstrahiert wird. Seine Handhabung sollte daran erinnern, wo es herkommt. Das Recht ist ein wichtiger Maßstab für Gnade. Aber es darf nicht der einzige sein. Recht ist auf Gnade angewiesen: Gnade vor Recht.

Zehn Beispiele für Fragen nach einer lebenswerten Zukunft, die uns heute bewegen, habe ich genannt. Bei den Konflikten, die sie mit sich bringen, haben wir es mit einer Polarisierung quer durch Parteien, Schichten und Altersgruppen hindurch zu tun. Die einen wollen die Gesellschaft mit radikalen Protestaktionen aufrütteln und auf Gefahren für die Zukunft aufmerksam machen. Andere sehen in der Radikalität von Protesten eine Gefahr für die freiheitliche Demokratie und damit einen Grund zur Sorge um die Zukunft.

Ich glaube, wir müssen beide Ansätze ernst nehmen. Die Demokratie kann nur bestehen, wenn die langfristigen Überlebensfragen der Menschheit schonungslos erörtert und glaubwürdig beantwortet werden. Angesichts des gewaltigen Ausmaßes der Probleme kann dies nicht ohne Härte und Ungeduld abgehen. Es ist fatal, wenn beim Bürger der Eindruck entsteht, auf ihn käme es gar nicht an, denn »die da oben« machten ja doch, was sie wollten. In Wirklichkeit wissen doch wir Politiker oft selbst noch keine

Lösung und sind dringend auf Mitberatung angewiesen. Ich meine, es ist ehrlicher und überzeugender, dies offen einzugestehen, statt zu glauben, wir Politiker – egal welcher Richtung – schuldeten dem Publikum nur einen ermutigenden Optimismus und dem Gegner die scharfe Konfrontation.

Andererseits können wir die Überlebensfragen der Menschheit nirgendwo mit einer größeren Chance auf Erfolg behandeln als in der Demokratie. Sie ist offener und lernfähiger als jede andere Regierungsform. Auch wenn es oft nicht schnell genug geht und nicht immer auf Anhieb der richtige Weg gefunden wird, so ist doch die Demokratie am besten in der Lage, Fehler zur Sprache zu bringen, sich zu korrigieren, Einsichten und Vernunft im Widerstreit der Meinungen zu entwickeln.

Entscheidend ist die Freiheit. Sie allein macht es möglich, gemeinsam die Wahrheit, das richtige Ziel und die richtigen Mittel und Wege zu suchen. Die Demokratie ist die einzige Staatsform, die den stets notwendigen Weg zum Wandel in Frieden finden läßt. Damit dies möglich bleibt, darf die Radikalität des Streitens niemals die Regeln des Rechts verletzen, denn diese sind die Bedingungen für die Freiheit und die Kraft zur Reform.

Damit wir in dieser Freiheit zu Entscheidungen kommen können, muß es nach dem Mehrheitsprinzip gehen. Dabei wissen wir alle, daß die Mehrheit genausowenig über die Wahrheit verfügt wie die Minderheit. Keiner darf für sich den Besitz der Wahrheit beanspruchen, sonst wäre er unfähig zum Kompromiß und überhaupt zum Zusammenleben; er würde kein Mitbürger, sondern ein Tyrann. Wer das Mehrheitsprinzip auflösen und durch die Herrschaft der absoluten Wahrheit ersetzen will, der löst die freiheitliche Demokratie auf. Deshalb können wir die Stimmen nur zählen, wir können sie nicht wägen.

Aber das genügt nicht. Von Mehrheiten und Minderheiten wird mehr verlangt, als zählen zu können. Die Minderheit muß der Mehrheit das Recht zur Entscheidung zugestehen. Die Mehrheit hat beim Umgang mit diesem Recht die Pflicht, sich in der offenen Suche nach Wahrheit besonders zu engagieren. Sie muß ihre Entscheidung auf Grundsätze stützen, die von allen eingesehen und als legitim empfunden werden können. Die Entscheidungen müssen zumutbar sein. Keiner soll sich durch sie in seiner Existenz bedroht oder ausgebürgert fühlen. Nur so ist ein demokratischer Grundkonsens möglich, den die Verfassung zwar nicht vorschreibt, ohne den aber die Demokratie auf die Dauer nicht leben kann. Nur so ist auch die Zustimmung der freien Bürger zu ihrem freien Staat zu gewinnen. Nur so wachsen ihre Mitarbeit und ihr Gemeinsinn.

Es gibt bei uns eine große Aktivität der Bürger. Man kann ein gestärktes Bürgerbewußtsein, verbunden mit einem geschwächten Staatsbewußtsein, beobachten. Aber heißt dies, daß sich die Bürger damit ganz grundsätzlich gegen den Staat wenden? Das glaube ich durchaus nicht. Gewiß, die einzelnen und die Gruppen nehmen in erster Linie ihre eigenen Interessen wahr. Aber sie empfinden doch sehr deutlich, daß nicht jeder frei ist, durchzusetzen, was er will, sondern daß zur Vielfalt der Einzelinteressen die Einheit der Gemeinwohlentscheidung treten muß.

Das ist es, was die Bürger vom Staat erwarten. Wenn er sie darin enttäuscht, wenn er nur eine Dienstleistungsmaschine ist, wenn er seine ganz eigenständige Gemeinwohlaufgabe in der Gesellschaft nicht überzeugend durchzusetzen weiß, wenn er also am Ende bestenfalls ein bald beklatschter, bald ausgepfiffener Schiedsrichter ist, wie will er dann seine Bürger binden und gewinnen? Wie kann er damit etwas anderes erzeugen als Verdrossenheit gegen sich selbst? Und gibt es bei den Bürgern wirklich so wenig Gemeinsinn, wie man oft hören kann? Ist es wahr, was in Magazinen zu lesen ist, Gemeinsinn und Selbstlosigkeit lösten hierzulande nur hämische Mitbürgerglossen aus? Ich deute die Zeichen ganz anders. Es gibt viele – zumeist im stillen erbrachte – soziale Dienste aller Art in der Nachbarschaft. Junge und Alte sind daran beteiligt.

Und wenn junge Menschen eine Alternativkultur aufbauen, dann folgen sie damit zunächst einmal dem Wunsch jeder neuen Generation, die ihre Welt selbst in die Hand nehmen und nicht einfach Museumswärter einer Welt ihrer Vorfahren sein will. Darüber hinaus aber suchen sie Aufgaben, die ihnen das Leben lohnend machen, die ihnen Gemeinschaft bringen, die sie spüren lassen, daß sie menschlich gebraucht werden. Mit unserem Staat werden sie sich um so eher identifizieren, je mehr er ihnen nicht nur das notwendige und willkommene soziale Netz bietet, sondern auch ein soziales Band, das sie vermissen.

Der Bürger – so sagte mir einer von ihnen – wird versorgt, er wird entsorgt, er kann unbesorgt sein. Aber kann er auch genügend mitsorgen, miterleben, mitarbeiten? Solche Fragen ernst zu nehmen, das halte ich für unsere Aufgabe. Sie mögen kritisch gesagt und gefragt sein, aber sie sind positiv zu verstehen. Manche Bürgerbewegung nimmt – vielleicht unbewußt – für einen Staat Stellung, der persönliche Verantwortung und mitmenschliche Verbindung nicht überflüssig macht, sondern ermutigt. Auch das gehört zur Gemeinwohlaufgabe des Staates.

Herr Bundespräsident Carstens und ich haben uns über unsere Ansprachen nicht verständigt, aber es ist doch kein Zufall, daß wir beide mit einem ganz ähnlichen Gedanken abschließen. Und so lassen Sie auch mich an den Anfang unserer Verfassung anknüpfen.

Diese Verfassung beginnt, wie wir wissen, für das deutsche Volk mit den Worten: »Im Bewußtsein seiner Verantwortung vor Gott und den Menschen . . .« Für die Berufung auf Gott gab es in der deutschen Verfassungsgeschichte keine feste Tradition. Der Parlamentarische Rat fand den Mut zu diesen Worten im Hinblick auf das Unheil des Nationalsozialismus und auf den Wahn, daß ein Volk oder der Mensch selbstmächtig, selbstherrlich, Herrenvolk, Herrenmensch sei.

Die Verantwortung vor Gott ist nicht dazu da, nachgeprüft zu werden. Vielen mag sie vielleicht nichts bedeuten. Wer weiß, ob sie heute Eingang fände, falls wir eine neue Verfassung zu schreiben hätten. Die Verweltlichung aller Lebensverhältnisse ist fortgeschritten. Eindeutig klar bleibt nur das Bekenntnis des Grundgesetzes zur Pluralität weltanschaulicher Auffassungen, zur Neutralität gegenüber der Vielfalt religiöser oder areligiöser Leitlinien.

Dennoch ist es nicht müßig, an das Verfassungsbekenntnis zur Verantwortung vor Gott zu erinnern. Der Verweltlichung stehen neue, teilweise heftige religiöse Zuwendungen und Ausschläge gegenüber. Aufklärung, Rationalität, naturwissenschaftliche Forschung – sie alle schaffen nicht nur tiefere Einsicht in die Komplexität, sie bringen auch von neuem die Erkenntnis hervor, daß nicht alles erklärbar ist.

Wir begegnen der Erfahrung, daß der Mensch nicht das Maß aller Dinge ist, daß er nicht alles deuten, nicht allem und nicht sich selbst den letzten Sinn geben kann. Wenn er aber in einer Welt leben soll, die ihm diese Erfahrung bestreiten und alles weltlich erklären will, dann reagiert er darauf oft mit einer Flucht; zuletzt flieht er in Sekten und in den Fanatismus. Dies ist nicht auf den christlich geprägten Teil der Welt beschränkt; wir finden es im Abendland und im Morgenland.

Was folgt für uns daraus? Ganz gewiß kein politischer Auftrag zu religiöser Verkündigung. Aber es geht uns alle etwas an, was die Wirklichkeit der Religion in der Gesellschaft bedeutet. Jacob Burckhardt hat darauf hingewiesen, daß die Religion im neutralen Staat den Unterschied zwischen heilig und profan verdeutliche: Das Heilige, so sagt er, ist die Ehrfurcht vor Gott, die in die Welt vordringt, in die Ehrfurcht vor dem Menschen, vor seiner Einmaligkeit, seiner Würde, seiner unsterblichen Seele.

Dazu mag jeder seine eigenen Auffassungen haben. Schaden aber bringt es niemandem, sich immer wieder von neuem den Unterschied zwischen dem Letzten und dem Vorletzten klarzumachen, zwischen unserer Verantwortung und unseren Grenzen. Weder Naturwissenschaftler noch Geistes- und Sozialwissenschaftler können alles erklären, erst recht nicht wir Politiker.

Die Verfassung erinnert an die Verantwortung vor Gott. Sie überläßt jedem sein Gottesbild und sein Weltbild. Aber uns allen legt sie ein Menschenbild ans Herz, das uns entscheidend helfen kann. Gerade dort, wo uns unter den oft ausweglos erscheinenden Spannungen im Leben und in der Welt die Verzweiflung anfällt, gerade dort kann sie uns tiefe Zuversicht geben.

Es geht nicht um große Taten, die wir uns vornehmen, es geht um die Pflichten und Freuden eines jeden Tages. Der weise alte Berliner Moses Mendelssohn schrieb: »Auf dem dunklen Pfad, auf dem der Mensch hier auf Erden gehen muß, gibt es gerade soviel Licht, wie er braucht, um den nächsten Schritt zu tun.« Dieses Licht sucht der Mensch, und ich meine, er kann es finden.

Davon wollen wir uns leiten lassen im täglichen Leben und in unserer Arbeit. Was ich mit meinen Kräften dazu beitragen kann, soll geschehen. Jeder, der mithilft, ist willkommen.

Friedenspreis für Octavio Paz

MIT UNSEREN KENNTNISSEN VON LATEINAMERIKA ZÄH-
len wir zu den Unterentwickelten dieser Erde, sehr
zu unserem eigenen Nachteil. Wir Europäer denken
an die dortige soziale Ungerechtigkeit und Armut, an
fehlende Freiheiten und Menschenrechte. Wir sehen
ein Feld der Konfrontation von Großmächten. Unsere
eigenen ideologischen Kämpfe verstärken wir mit
halbverstandenen lateinamerikanischen Parolen. Zugleich suchen wir Wirtschaftsbeziehungen, Rohstoffe
und Absatzmärkte. Nicht zuletzt deshalb sorgen wir
uns um Zinsen und Tilgungen gigantischer lateinamerikanischer Schulden, als deren Gefangene wir
uns empfinden.

Das Gefühl politischer und geistiger Überlegenheit
der alten Welt hat sich in den Glauben an einen Ent-
wicklungsvorsprung verwandelt, den wir uns in der
modernen Welt der Technik und Wirtschaft gegenüber Lateinamerika zuerkennen. So prägt noch immer eine Mischung von Interessen und Unkenntnis,
von Gleichgültigkeit und Zukunftssorge unseren lateinamerikanischen Horizont.

Der Börsenverein des Deutschen Buchhandels setzt

mit dem Friedenspreis für Octavio Paz an der entscheidenden Stelle zur Korrektur an: bei der Kultur.

Paz bringt uns Lateinamerika mit seinen eigenen Worten ganz nahe:

Imagination, Sensibilität, Liebenswürdigkeit,
Sinnlichkeit, Melancholie, eine gewisse Religiosität
und ein gewisser Stoizismus
gegenüber dem Leben und dem Tode,
ein tiefes Gefühl für das Jenseitige
und ein nicht weniger ausgeprägter Sinn
für das Hier und Jetzt. . . .
Lateinamerika ist eine Kultur.

Die Kritik des Mexikaners Octavio Paz am Begriff der Unterentwicklung ist notwendig und heilsam. Er enthüllt ihn als ein technokratisches Vorurteil, das »die wahren Werte einer Zivilisation, die Physiognomie·und die Seele einer jeden Gesellschaft geringschätzt«. Ein jedes Volk, auch das mexikanische, ist unterwegs, um seinen Weg in der modernen technischen Welt zu finden. Soll dies gelingen, so muß es ein Weg sein, der auf dem überlieferten und lebendigen Wesen des eigenen Volkes beruht, auf seiner eigenen Kultur.

Niemand hat die sozialen, wirtschaftlichen, politischen und kulturellen Probleme Lateinamerikas tiefer durchdacht als Octavio Paz. Ihnen gilt sein großes kritisches Werk, seine gewaltige geistige Produktivität. Was kann im Angesicht der immensen Belastungen und Herausforderungen geschehen? Seine Antwort: Als erstes, klar und unabhängig denken; sodann vor allem, sich nicht der Passivität ergeben.

Danach hat er sich selbst stets orientiert. Sein Lebensweg bezeugt es von Jugend an. Der Großvater, ein Vorkämpfer des Bekenntnisses zur Urbevölkerung, hatte ihm die Geschichte und Literatur Mexikos nahegebracht. Der Vater, Freund und Anwalt des legendären Führers der Campesinos, der Kleinbauern, Emiliano Zapata, hatte an der mexikanischen Revolution teilgenommen.

Octavio Paz veröffentlichte mit 14 Jahren seine ersten Gedichte. Im Alter von 17 Jahren gründete er die erste Literaturzeitschrift. Sein Studium brach er ab. Er wollte Autodidakt bleiben. Mit 23 Jahren zog er nach Yucatan, um eine Sekundarschule für die Kinder der Campesinos zu gründen. Hier begegneten ihm Elend, Armut und Größe der Eingeborenenkultur. 1937 zum Kongreß antifaschistischer Schriftsteller nach Madrid eingeladen, stand er im spanischen Bürgerkrieg auf republikanischer Seite. Alsbald verwahrte er sich gegen die Verwechslung des stalinistischen Kommunismus mit dem Sozialismus und erteilte jenem beim Hitler-Stalin-Pakt eine klare Absage.

Nach längeren Aufenthalten in Paris und in den USA trat er in den diplomatischen Dienst seines Landes ein, der ihn nach Japan und später als Botschafter nach Frankreich und Indien führte. Als seine Regierung 1968, im Jahr der Olympiade und des Prager Frühlings, auf unbewaffnete Studenten schießen und ein Massaker anrichten ließ, verließ er sofort den

Dienst. Für die Studenten in ganz Lateinamerika wurde er zum Symbol innerer Freiheit und moralischer Integrität. Später gründete er wieder Zeitschriften, zuletzt 1976 »Vuelta«, eine der anspruchsvollsten und einflußreichsten politischen und literarischen Zeitschriften der Welt.

Kritisch und undogmatisch, unabhängig und einsam bleibt er im Denken und im Verhalten. Er weiß, daß Kritik von sich aus weder Kunst noch Politik hervorbringt. Aber er glaubt daran, daß nur sie den physischen, sozialen und moralischen Raum zu schaffen vermag, in dem sich Kunst, Literatur und Politik entfalten. Paz spricht solche Gedanken für Lateinamerika aus. Aber ich glaube nicht, daß unsere Erfahrungen geeignet wären, sie zu widerlegen.

Diesem kritischen Geist dient er, und um seinetwillen hält er Distanz zur Macht. Auch anderen gibt er denselben Rat: »Wenn der Philosoph an die Macht kommt, endet er entweder auf dem Schafott oder als gekrönter Tyrann.« Das ist eine strenge, gewiß wohlbegründete Empfehlung. Aber man sollte es auch nicht umgekehrt übertreiben. Ein Unglück wäre es jedenfalls nicht, wenn Politiker sich gelegentlich für Fragestellungen der Philosophie interessierten.

Octavio Paz ist auf seinem Weg zur prägenden Stimme lateinamerikanischer Kultur geworden, zu ihrem Gewissen.

Durch ihn erfahren wir, wie sein eigenes Land und wie Lateinamerika um Identität ringen – ein politischer, sozialer und geistiger Prozeß von größter Bedeutung auch für uns. Paz beobachtet und gestaltet ihn zugleich.

Wir begegnen in ihm dem kritischen Denker und Schriftsteller der Freiheit, der seinen Weg in unerbittlicher Unabhängigkeit und kosmopolitischer Einsamkeit geht.

Seine tiefste Wirkung aber bezieht er aus seiner lyrischen Dichtung. Seine Poesie bereichert die Weltliteratur der zweiten Hälfte des 20. Jahrhunderts wie nur wenige andere.

Paz ist ein Schriftsteller von außerordentlicher politischer Wirkung. Letzten Endes ist es aber weniger die Politik als die Geschichte, die ihn bewegt und die er als Geschichte der Kultur begreift. In seinem berühmten »Labyrinth der Einsamkeit« und in zahlreichen Essays macht Paz uns mit dieser Geschichte vertraut. Seit zwei Jahrhunderten, so sagt er, ringen die besten Lateinamerikaner um eine umfassende soziale, politische und geistige Reform. Modernisierung ist ihr Ziel. Aber so lang wie der Kampf, so lang ist die Reihe der Irrtümer über die geschichtliche Wirklichkeit.

Schon die Vielzahl der Namen für den Kontinent verwirrt. Welcher stimmt genau genug? Lateinamerika, Hispanoamerika, Iberoamerika, Indoamerika? Jeder Name bezeichnet und verschweigt zugleich einen Teil der Wirklichkeit.

Was wir bei Paz über Lateinamerika erfahren, ist immer auch eine Auskunft über unsere eigene Geschichte. Er schildert die besondere Version christlichabendländischer Kultur, die von der Iberischen Halbinsel nach Lateinamerika gekommen ist: die Verschmelzung des Religiösen mit dem Politischen, in deren spanischen Wesenszügen er Spuren des Islams entdeckt; die Identifizierung mit einem universalen, einer einzigen Auslegung zugänglichen Glauben; die Verweigerung der anbrechenden Modernität.

Neben dem abendländischen Einfluß, den Paz stets ohne Ungerechtigkeit und ohne polemischen Fanatismus beschreibt, steht das Gewicht des starken Bevölkerungsanteils der Indios. Paz schildert, wie sie die Sensibilität der Völker verfeinert und ihre Phantasie befruchtet haben. Vermischt mit den spanischen Einflüssen findet er die Merkmale ihrer Kultur in der Religion, den Märchen und Legenden, den Mythen, den Künsten, der Gesellschaftsmoral und der Küche seines Volkes.

Den Weg in die Unabhängigkeit der lateinamerikanischen Völker sieht er begleitet vom immer neuen Scheitern am wichtigsten Ziel, nämlich an der politischen, sozialen und wirtschaftlichen Modernisierung. Er beschreibt, wie nordamerikanische Vorbilder die Väter der lateinamerikanischen Unabhängigkeit und Liberalität beseelt haben. Als um so tragischer empfindet er es, daß dasselbe Nordamerika allzuoft zum Hindernis für die Modernisierung Lateinamerikas geworden ist, weil es inmitten der typischen Machtaufteilung zwischen wirtschaftlichen Oligarchien und Militärs mit falschen Verbündeten zusammengearbeitet und interveniert hat.

Auch noch so häufige Militärputsche haben aber die geschichtliche Legitimität der Demokratie im Bewußtsein der lateinamerikanischen Völker nie in Frage gestellt: »Mit ihr«, so sagt er, »sind wir geboren, und trotz der Verbrechen und Tyranneien war die Demokratie für unsere Völker so etwas wie ein geschichtlicher Taufschein.« So oft auch die Demokratie entstellt und verraten worden ist, so ist doch all das Gute, das seit anderthalb Jahrhunderten in Lateinamerika gewachsen ist, im Zeichen der Demokratie oder, wie in Mexiko, auf die Demokratie hin geschaffen worden.

Mit besorgter Aufmerksamkeit beobachtet Paz heute eine Revitalisierung alter politisch-religiöser Absolutheitsansprüche in neuer Form. Nunmehr wird geoffenbarte Wahrheit durch angebliche wissenschaftliche Wahrheit ersetzt, welche die Geschichte und Gesellschaft universal deutet und die sich nicht mehr in einer Kirche, sondern in einer Partei verkörpert. »Eine paradoxe Modernität: Die Ideen sind von heute, das Verhalten ist von gestern. Ihre Großväter beriefen sich auf den Heiligen Thomas von Aquin, sie berufen sich auf Marx, aber für die einen wie die anderen ist die Vernunft eine Waffe im Dienst einer großgeschriebenen Wahrheit . . . Ihr Begriff von der Kultur und vom Denken impliziert Polemik und Kampf: sie sind Kreuzritter. So besteht in unseren Ländern eine geistige Tradition fort, welche die Meinung des anderen wenig achtet, welche die Ideen der Wirklichkeit und die geistigen Systeme der Kritik der Systeme vorzieht.«

Die Meinung des anderen zu achten, bedeutet nicht, jede Position zu relativieren. Kritik der Systeme wendet sich nicht gegen die Suche nach Wahrheit. Aber wer eigene Überzeugungen als Wahrheit absolut setzt und politisch instrumentalisiert, macht freies Zusammenlebenvon Menschen unmöglich.

An Zentralamerika liest Paz das Mißgeschick der ganzen Geschichte seines Kontinents ab: Unabhängigkeit führt zur Aufsplitterung, zur Vereinzelung, zur Schwäche. Die Folge davon ist wieder eine Krise der Unabhängigkeit und fremde Intervention. Unrecht und Elend dauern fort, »gleich wer der Gewinner ist, der Obrist oder der Guerillero«.

Paz analysiert und kämpft für den Weg zur Demokratie in Lateinamerika. »Demokratie und Unabhängigkeit sind komplementäre und voneinander untrennbare Wirklichkeiten: Die erste verlieren, heißt die letztere verlieren und umgekehrt.« Erst wenn die Demokratie gewonnen ist, ist die Unabhängigkeit vollendet.

In diesen Zusammenhang gehören die Gedanken von Paz zur Freiheit, die er aus seinem geistigen und politischen Verständnis von Kultur entfaltet. Er sieht in der Freiheit kein System allgemeiner Erklärungen und keine Philosophie. Denn »jeder von uns ist ein einzigartiges und besonderes Wesen«. »Die Freiheit gewährleistet mir meine Einzigartigkeit und löst sich in die Anerkennung des anderen und der anderen auf.«

Paz knüpft an Rosa Luxemburg an. »Der andere ist zugleich Grenze und Quelle meiner Freiheit . . .

Wenn Freiheit und Demokratie auch keine äqui-
valenten Begriffe sind, so sind sie doch komplementär:
Ohne Freiheit ist die Demokratie Despotie, ohne Demokratie ist die Freiheit eine Schimäre.«

Ich möchte aus den Schriften von Paz zur Freiheit
noch einen Passus zitieren, mit dem er den Einfluß
von Cervantes auf unsere Erfahrung mit Freiheit
beschreibt: »Mit Cervantes beginnt die Kritik des
Absoluten: Es beginnt die Freiheit. Und sie beginnt
mit einem Lächeln, nicht der Freude, sondern des
Wissens. Der Mensch ist ein prekäres, komplexes,
doppeltes oder dreifaches Wesen, von Phantasmen
heimgesucht, von Begierde getrieben, von Sehnsucht
zernagt: ein prachtvolles und klägliches Schauspiel.
Jeder Mensch ist ein einzigartiges Wesen, und jeder
Mensch ist allen anderen ähnlich. Jeder Mensch ist
einmalig, und jeder Mensch ist viele Menschen, die
er nicht kennt: Das Ich ist pluralisch. Cervantes lä-
chelt: Lernen, frei zu sein, heißt lernen zu lächeln.«

Großartig und eindrucksvoll an Paz' Gedanken zu
Unabhängigkeit und Demokratie, zu Freiheit und
Frieden ist, daß sie uns nie als abstrakte Ideenkritik
begegnen. Sie sind vielmehr lebensvoll und glaubwürdig, weil sie im Leben und Denken von Octavio
Paz ein natürlicher Bestandteil der ihn tief bewegen-
den Frage nach der nationalen Wesensart und nach
Identität sind. Dieses zentrale Thema in Lateinamerika und zumal in Mexiko findet in Paz seinen großen
Interpreten. »Der Mexikaner will weder Spanier
noch Indio sein, ebensowenig will er von ihnen ab-

stammen. Er leugnet sie, und er behauptet, weniger ein Mestize zu sein, als dessen Abstraktion: ein Mensch. Er möchte von niemandem abstammen. Seinen Ursprung bei sich selber nehmen . . . Den Mexikaner und die Mexikanität kann man als Bruch und Verneinung definieren, aber auch als Suche und Willen, den Zustand der Isolierung zu überwinden, kurz, als lebendiges Bewußtsein der Einsamkeit, der geschichtlichen wie der persönlichen.«

»Mexiko hat«, so sagt Paz an anderer Stelle, »kein Bündel von universalen Ideen zur Verfügung, die unsere Situation rechtfertigen könnten. Aber auch Europa, dieses Magazin fertiger Ideen, lebt heute wie in den Tag hinein. Streng genommen, hat die ganze moderne Welt keine neuen Ideen. Deshalb ist sie, genau wie der Mexikaner, der Realität gegenüber einsam.«

Octavio Paz zu ehren, heißt nicht nur einen großen Geist, sondern seinen Kontinent zu ehren, der vielleicht als erster mit Würde die ganze Problematik einer identitätslosen Existenz des modernen Menschen durchkämpft. Lateinamerika, wie es uns in Paz begegnet, ist uns in diesem Ringen voraus, in der Desillusionierung gegenüber einem »Fortschritt«, welcher die eigentümlichen geistigen Grundlagen eines Volkes und seines Lebens gefährdet.

Ein Mann vom Range Paz' macht uns deutlich, wie fruchtlos alle bewußten oder unbewußten Versuche einer geistigen Kolonialisierung gegenüber Lateinamerika geblieben sind. Lateinamerika sucht seinen eigenen Weg. Dazu muß es seine eigene Kraft entwickeln. Von welcher universalen Großidentität sollte es auch leben? In welcher technisch-wissenschaftlichen Großkultur sich wiederfinden? Welche Grundsätze des Internationalen Währungsfonds als eigene kulturelle Lebensregeln verstehen?

Die Mexikaner, vergewaltigt in der Geschichte, auf der Suche nach sich selbst, haben den Mut zur Eigentümlichkeit. Der Mensch findet zu sich selbst in seiner Kultur. Kultur ist Geschichte nicht von Ideen, sondern vom konkreten, je einmaligen Menschen. Kultur ist für Paz keine »unbewegliche, stets mit sich selbst identische Wesenheit«, kein Wertekatalog, sondern Lebensweise. In dieser Kultur findet der Mensch Frieden mit sich. Er entwickelt die Fähigkeit zum friedlichen Zusammenleben. Paz gilt in seiner Heimat als pazifistischer Demokrat in des Wortes ureigenster Bedeutung, als ein Demokrat, der Frieden schafft für eine überschaubare Gemeinschaft von Menschen.

Auch wir sind unterwegs. Es gibt keine universale Modernität oder Identität, die wir uns selbst zu verkünden oder zu exportieren hätten. Wir suchen ständig unseren eigenen Weg der Kultur. Das ist entscheidend wichtig. Er darf uns nicht in eine Frontstellung gegen das technische Zeitalter treiben. Erst recht ist er kein unpolitischer Weg. Aber er weist über Wissenschaft, Wirtschaft und Sicherheit hinaus. Es ist ein Weg, der in unseren eigenen, uns eigentümlichen geistigen Beziehungen gründet und der Politik Kontinuität gibt. Kultur ist Politik. Kultur, verstanden als Lebensweise, ist vielleicht die glaubwürdigste, die beste Politik.

Wieder können wir bei Paz lernen. Uns begegnet bei ihm ein Verständnis von Kultur, das uns aus der deutschen Geistesgeschichte wohlvertraut ist. Paz hat, entgegen einem ihm von Ortega y Gasset gegebenen Rat, nie Deutsch gelernt. Aber er bekennt sich zu prägenden Einflüssen durch die deutsche Philosophie und Literatur, vermittelt nicht zuletzt durch Ortega. Er spricht mit Bildern und Gedanken, die wir verstehen. »Nach Deutschland zu reisen, ist für mich eine Art von Jugenderfahrung, die ich nicht gelebt habe.«

Wir können nicht dankbar genug sein, daß er gekommen ist und uns hilft, den Weg seines Denkens nachzuvollziehen. Er vertieft nicht nur unser Verständnis von Lateinamerika, sondern er hilft uns auch, unsere eigenen Aufgaben besser zu erkennen.

Paz verbindet viele fruchtbare geistige Tätigkeiten in einzigartiger Form. Sein Überblick über Kulturen und Literaturen der Welt mit Schwerpunkten in Indien, Japan, Europa und Nordamerika ist ohnegleichen. Er ist ein Vorbild der Unabhängigkeit und der Kraft des kritischen Denkens. Er ist zum Interpreten und Erzieher seines Volkes geworden.

Zum tiefsten Kern der Dinge aber dringt er vor mit seiner Poesie. Seit seiner Jugend hat Paz den Aufruf zur Aktion und zur Kontemplation verspürt. Beiden ist er gefolgt. Die Brücke zwischen beiden hat er in der Poesie gefunden.

Die Poesie:

was ich verschweige,   *Sie sagt,*

was ich sage,   *sie verschweigt,*

was ich vergesse.   *sie träumt,*

sie ist Tun . . .   *Sie ist nicht Sagen,*

Die Augen sprechen,

    die Worte schauen,

die Blicke denken.

Gewiß auch in seinen großen Gedichten, so etwa in »Sonnenstein«, »Weiß« und im »Nachtstück von San Ildefonso« bleibt er verbunden mit den zentralen Themen, die uns bei ihm immer wieder begegnen. Er denkt nach über die Geschichte, das tragische Spiel der Irrungen in der historischen Zeit, über Schuld und Scheitern mit den Idealen der Gerechtigkeit, über Rationalismus und Humanität. Wieder begegnen wir seinen Gedanken über Identität, liberale Tradition und Ideologie. Aber wenn er dort meditiert über Geschichte, Kultur und den Menschen, dann geht er den entscheidenden Schritt weiter in Richtung auf Wahrheit.

Wahrheit, wie Kultur, lebt für Paz nicht in der abstrakten Idee, sondern im konkreten Menschen. Kein Mensch besitzt und verfügt über die Wahrheit. Aber es gibt Augenblicke, in denen ihn die Wahrheit berührt. Dann wird er seiner selbst gewahr. Es ist der Augenblick der Erfahrung, der Erleuchtung, der Liebe, der Ekstase oder der ruhigen, inneren Gewißheit. Der Augenblick, der die Widersprüche aufhebt, der Klarheit bringt, der den Menschen in unaussprechlicher Weise eins sein läßt mit dem Leben.

Wenn der Augenblick vorbei ist, kehren wir zurück zur Zeit mit ihren Widersprüchen, zurück an den Anfang eines Kreises, den wir wieder von neuem ausschreiten. Aber der Augenblick hat uns verwandelt (siehe Pere Gimpferrer im Nachwort zu »Die Großen Gedichte«). Diesen Augenblick zu bannen, ist die Aufgabe des Gedichtes. Die Verse belagern den Augenblick, sie umzingeln ihn, da er uns unser wahres Wesen offenbaren wird.

So wird das Gedicht für Paz die »Pforte zum Augenblick, wo die Wahrheit wohnt«. Die Dichtung dient der wesensmäßigen Einheit des Augenblicks, sie macht seine ewige Gegenwart erfahrbar.

Dichtung ist nicht Wahrheit. Wahrheit ist nicht Geschichte. In seinem »Nachtstück von San Ildefonso« sagt Octavio Paz:

>*Die Wahrheit*
>*ist der Grund der Zeit ohne Geschichte.*
>   *Das Gewicht*
>*des Augenblicks ohne die Last der Wichtigkeit ...*
>*Die Dichtung,*
>   *wie die Geschichte, wird gemacht:*
>   *die Dichtung,*
>*wie die Wahrheit, wird gesehen ...*

Die Dichtung,
  Hängebrücke zwischen
  Geschichte und Wahrheit,
ist nicht ein Weg zu dem oder jenem:
  sie ist Schauen
der Ruhe in der Bewegung,
  des Übergangs
in der Ruhe.
  Die Geschichte ist der Weg:
er führt nirgendwohin,
  wir alle beschreiten ihn,
die Wahrheit ist, ihn zu beschreiten.
  Wir gehen nicht, wir kommen nicht:
wir sind in den Händen der Zeit.
  Die Wahrheit:
uns zu wissen,
  von Anfang an,
  in der Schwebe,
Brüderlichkeit über der Leere.

Große Gedichte der Weltliteratur! Wo gibt es Vergleichbares in unserer Zeit? Wo sind Verstand und lyrische Empfindung, wo Kopf und Herz so im Lot?

Wir verdanken sie Lateinamerika. Und wir verdanken es dem Börsenverein des Deutschen Buchhandels und dem hervorragenden Engagement von Verleger, Übersetzer, Interpreten und Kritikern, uns endlich für sie zu öffnen.

Paz geht seinen eigenen Weg. Er geht seinem eigenen Volk, den Mexikanern, voran. Er spricht für Lateinamerika. Dabei stößt er zum Kern des Lebens vor. Indem er es tut, verleugnet er nicht Zeit, Geschichte, Tradition, Geographie, Hautfarbe, soziale Befindlichkeit. Und doch überschreitet er sie zugleich. Er denkt und fühlt, er spricht und dichtet auch für uns. Wie er begabt ist zum Leben und Zusammenleben, so dient er dem Frieden des Menschen mit dem Leben.

Dafür ehren wir Octavio Paz. Wir ehren Mexiko. Wir ehren Lateinamerika.

Nachweise

Die Ansprache zum 40. Jahrestag der Beendigung des Zweiten Weltkriegs hielt Richard von Weizsäcker am 8. Mai 1985 bei einer Gedenkfeier von Bundestag und Bundesrat im Plenarsaal des Deutschen Bundestages.

»Die Deutschen und ihre Identität« lautete das Thema einer Ansprache auf dem 21. Deutschen Evangelischen Kirchentag am 8. Juni 1985 in Düsseldorf. Die Rede wurde für den Druck geringfügig überarbeitet. Eine veränderte Fassung erscheint unter dem Titel »Was ist das eigentlich: deutsch?« als Vorwort zu dem zehnbändigen Werk »Deutschland – Porträt einer Nation« im Bertelsmann Lexikothek Verlag.

Die Rede über die »Aufgaben der Deutschen« hielt Richard von Weizsäcker zu seinem Amtsantritt als Bundespräsident am 1. Juli 1984 im Anschluß an seine Vereidigung im Deutschen Bundestag.

Am 7. Oktober 1984 empfing Octavio Paz den Friedenspreis des Deutschen Buchhandels. Richard von Weizsäcker hielt auf Einladung durch den Börsenverein des Deutschen Buchhandels die Laudatio auf den mexikanischen Dichter.

CIP-Kurztitelaufnahme der Deutschen Bibliothek

Weizsäcker, Richard von: *Von Deutschland aus* / Richard von
Weizsäcker. – Berlin : Siedler, 1985. (Corso bei Siedler).
ISBN 3-88680-173-X

© 1985 by Wolf Jobst Siedler Verlag GmbH, Berlin. Alle
Rechte vorbehalten, auch das der fotomechanischen Wie-
dergabe. Gesetzt aus der Monotype Walbaum in 10 Punkt.
Gestaltung: Hans Peter Willberg, Eppstein. Satz:
SchumacherGebler, München. Druck und Buchbinder:
Spiegelbuch, Ulm. Printed in Germany 1990.
ISBN 3-88680-173-X

15. Auflage